Au-delà de la souffrance

Pour toi Pierrette, je te souhaite
une très bonne lecture et je
t'embrasse très fort

Merci D Bureau
× × × × × ×

DANIEL BUREAU

Au-delà de la souffrance

Récit autobiographique

SKAT

Éditeur : Sophie Hébert

Conception couverture : Pierre Mignaul

Mise en page : Alejandro Natant

Révision : M T D

Distribution Québec : Benjamin Livre

SKAT Canada inc.

935, de l'Épée

Outremont H2C 3V2

Dépôt légal : septembre 2012

ISBN : 978-2-924180-00-6

AVANT-PROPOS

Quelle idée d'écrire sa vie ! Je me rends compte au fil de mes souvenirs à quel point une grande partie de la mienne se résume aux mots violence, méchanceté, cruauté, malheur, détresse et tristesse. Faut-il être fou, ou aimer souffrir, pour vouloir retourner dans un passé qui n'est que mal de vivre à en crever ? Il doit bien y avoir une autre raison…

Je me livre dans ce texte, tant à vous qu'à moi-même, sans la moindre censure, pour faire connaître mon but : contribuer à briser la chaîne de violence familiale (qui fait trop souvent d'un enfant victime un parent bourreau) pour la remplacer par une chaîne d'amour. Il est inacceptable que tout ce mal caché continue à détruire des vies d'une génération à une autre. Ne pas avoir reçu d'amour ne signifie pas que l'on ne peut en donner ou en recevoir.

Malgré ce mal de vivre qui m'a habité pendant des années, je tiens aujourd'hui à montrer à quel point le miracle de l'amour peut tout réparer, peu importe la gravité et la profondeur des blessures. Mon plus grand souhait est de voir plus d'amour, de compréhension, de justice, de joie et de paix dans le monde. Mon leitmotiv, « **vouloir ou décider** », est la pierre angulaire de cet ouvrage et de mes conférences.

Que signifient pour moi ces deux mots : « vouloir ou décider » ? Même si pour bien des gens ces deux verbes sont synonymes, selon moi, il n'en est rien. Je les considère comme deux concepts aussi différents que le jour et la nuit, l'été et l'hiver, la vie et la mort. Peu importe où nous vivons sur cette Terre, peu importe notre âge, notre sexe, notre religion, ou ce que nous possédons à la banque, nous voulons tous quelque chose : un meilleur emploi, une nouvelle voiture, une maison, une vie de couple et de famille réussie, mais, pour plusieurs millions de personnes, les désirs ne peuvent se résumer qu'à avoir un toit sur la tête, trois repas par jour, une bonne santé et la possibilité d'être soigné convenablement. Dans plusieurs pays, on veut surtout ne plus jamais vivre de guerre.

Malheureusement, très peu de gens arrivent à atteindre ne serait-ce qu'un faible pourcentage de leurs objectifs, de leurs buts ou de leurs rêves, parce que ceux qui **décident vraiment** sont peu nombreux. En revanche, ce sont ceux-là qui agissent et atteignent leurs buts.

Imaginez que l'on puisse séparer tous les humains de la Terre en deux groupes. Dans le premier seraient réunis ceux qui veulent quelque chose, soit quatre-vingt-dix pour cent de la population. Dans l'ensemble, les gens possèdent dix pour cent des richesses de la planète. Dans le deuxième groupe, on retrouverait ceux qui décident, soit dix pour cent de l'ensemble de la population. Ces gens sont détenteurs de quatre-vingt-dix pour cent des richesses sur la terre. Comprenez-vous maintenant la grande différence entre vouloir et décider ?

Il est important de savoir qu'à chaque fois que je parle de richesses, il ne s'agit pas uniquement d'argent; cela signifie aussi des richesses d'amour, de spiritualité, d'amitié, tout comme de santé physique et mentale.

Hélas, trop souvent, on s'en tient à un simple vœu. Mais lorsqu'on désire réellement quelque chose de tout son être, alors là, on passe à l'action en utilisant tous les outils nécessaires pour atteindre nos buts, nos objectifs et nos rêves.

De quels outils parle-t-on ? Avant de vous les faire découvrir, je vous demande de réfléchir à ce qui suit : si vous aviez la possibilité d'acheter un coffre qui contienne tous les outils magiques vous permettant de réaliser tout ce dont vous avez rêvé jusqu'ici et, du même coup, de changer positivement votre vie, quelle somme seriez-vous prêt à débourser ? Sûrement une fortune, ou du moins tout ce que vous possédez, n'est-ce pas ? Si je vous disais que ces outils existent réellement mais qu'ils ne sont pas à vendre, et même qu'il est impossible de les acheter ou d'en louer un seul, seriez-vous déçu ? Vous ne devriez pas l'être, puisque ces outils sont tout à fait gratuits et que vous les avez déjà en vous.

Malheureusement, trop de gens ignorent qu'ils possèdent ces outils, ne savent pas comment s'en servir ou, pire, ne croient pas à leur efficacité. Cela explique qu'il existe encore autant de pauvreté, de misère et de souffrance dans le monde.

Non seulement ces outils m'ont permis de changer favorablement ma vie à tous points de vue, mais ils m'ont également permis de faire de véritables miracles ! Rien de moins.

Le plus puissant et le plus important de tous ces outils est sans contredit **l'amour**. Attention, je ne parle pas ici de n'importe quel amour, mais de ce qu'on appelle un « amour agapique », c'est-à-dire un amour inconditionnel. C'est ce genre de sentiment que les parents éprouvent en général pour leurs enfants. C'est également l'amour que Dieu a pour chacun de nous.

Si vous avez le moindre doute que l'amour peut être la cause de véritables miracles, pensez à cela. Imaginez si tous les humains de la terre ressentaient de l'amour les uns pour les autres, il n'y aurait plus aucune guerre sur cette planète. Les quelques soldats qui resteraient seraient armés d'outils, de nourriture et de trousses de premiers soins afin de porter secours à tous les sinistrés du monde, victimes d'inondation, d'incendie, de tremblement de terre, d'éruption volcanique, etc. Les prisons ne seraient plus nécessaires puisqu'il n'y aurait plus de voleurs, de violeurs, de tueurs et de fraudeurs. Le monde serait tellement sûr, qu'il ne serait plus nécessaire de verrouiller nos portes. Sans compter que les hôpitaux seraient beaucoup moins congestionnés, étant donné que notre corps et notre mental se porteraient mieux. Comme les gens conduiraient leur voiture avec beaucoup plus de civisme, il y aurait beaucoup moins d'accidents. Tout cela ne correspond-il pas à des miracles ?

L'un des outils les plus essentiels que vous puissiez posséder après l'amour est **la confiance en soi**. Sans elle, il est très difficile, voire impossible de commencer et de finir ce que l'on décide d'entreprendre, même si cela nous tient à cœur. Pour acquérir une grande confiance en soi, il faut d'abord et avant tout s'aimer, se respecter et s'estimer à sa juste valeur.

Je vous recommande également deux autres outils très puissants et efficaces : **la visualisation** et le **ressenti**. Vous avez certainement lu ou entendu le conseil suivant : « Imagine tes rêves, visualise-les, et cela augmentera tes chances de les réaliser beaucoup plus vite ! » Si, en plus de les visualiser, on peut les sentir vibrer en soi au point d'avoir l'impression de pouvoir les toucher, et si l'on est assez imaginatif, on peut même les goûter. Du coup, on vient de multiplier considérablement nos chances d'atteindre nos objectifs.

Il y a aussi la **détermination**, cette force qui nous permet de nous fixer des buts réalistes et de prendre les moyens pour y parvenir tout en respectant notre plan d'action. Sans la **détermination**, on ne se sent jamais prêt à commencer quoi que ce soit. C'est l'outil parfait pour établir les « fondations » qui serviront de base solide à tous les projets importants de notre vie.

Quant à la **persévérance**, c'est l'outil idéal pour mener à terme tous les projets que nous désirons entreprendre. La persévérance demande de la constance et de la ténacité chaque jour. Y faire faux bond nous éloigne de notre réussite. Sans la persévérance, nous n'arriverons sans doute jamais à terminer quoi que ce soit.

Ce sont ces outils que j'ai utilisés et qui m'ont permis de me dépasser, beaucoup plus que je ne l'aurais imaginé. Aussi, je vais vous en parler très souvent dans ce récit, puisque j'estime que ces outils sont le secret du succès. Ils peuvent nous faire accomplir de véritables miracles, comme vous le constaterez à cette lecture.

CHAPITRE UN

Je suis né à Montréal le 19 mai 1959. J'étais le troisième d'une famille de cinq. Tout comme moi, mes frères et sœurs ne connaissent que peu de chose du passé de nos parents. Nous savons que notre mère, Jacqueline, est née dans les années 1930, à Maria en Gaspésie, dans une maison au bord de la mer, au sein d'une famille pauvre de onze enfants. La grande misère… Son père était un homme de très grande taille, fort comme un cheval, qui aimait beaucoup plus boire et se bagarrer que travailler. Un jour, notre grand-mère en a eu assez. Elle a plié bagage avec ses onze enfants, laissant seul son mari en Gaspésie.

Une fois installés à Montréal, les plus âgés d'entre eux ont trouvé des emplois pour subvenir aux besoins de la famille. Quand les plus jeunes ont travaillé à leur tour, les plus vieux se sont mariés et ont quitté la maison familiale.

Quant à notre père, Benoit, le cadet d'une famille de cinq enfants, il a vu le jour à Lambton, en Estrie, à la fin des années 1920 ou au début des années 1930, dans une famille d'agriculteurs. Considéré comme le mouton noir de sa famille et même du village, il aimait souvent jouer des mauvais tours. Étant donné que la vie de cultivateur ne l'intéressait pas, il a quitté la maison dès l'âge de seize ans pour devenir bûcheron en Abitibi. Il a ensuite travaillé comme ouvrier dans des mines puis est venu à Montréal. Il y a rencontré notre mère qui travaillait pour la compagnie des fromages Kraft. Ils se sont mariés en septembre 1956. Comme notre père refusait de voir sa femme travailler, le couple a vécu avec un seul revenu, le sien. Mon père s'amusait souvent à dire qu'il s'était marié avec « sa paye ».

Après quelques mois de vie commune, ma mère annonça à mon père qu'elle était enceinte. Il en fut très heureux car il était persuadé que ce serait un garçon. Chaque jour, tout au long de la grossesse de sa femme, il répétait : « C'est mon Claude qui s'en vient, c'est mon Claude, c'est mon Claude ! » Lorsque le grand jour arriva, mon père attendait avec impatience l'arrivée du bébé. Surprise ! Une fille vint au monde. Il en fut très déçu et ne s'en cacha pas durant des mois. Pour se consoler, il donna au bébé le prénom de Claudette.

Un peu plus tard, quand ma mère fut de nouveau enceinte, mon père retrouva l'espoir de voir enfin arriver « son Claude ». Cette fois, ce fut bien un garçon. Il avait enfin ce fils tant désiré. Je ne sais trop pourquoi mais, après cette naissance, mon père ne désira plus d'autres enfants. Malgré tout, l'année suivante, ma mère lui annonça une troisième grossesse. Il en fut très contrarié et son cœur se durcit. Il en vint même à en vouloir à l'enfant qui devait naître. Cet enfant… c'était moi.

Le jour de l'accouchement, mon père reconduisit ma mère à l'hôpital mais ne resta pas avec elle sous prétexte qu'il devait aller travailler. Il n'occupait pourtant pas un poste important, et il était loin d'être irremplaçable; il travaillait comme chauffeur de camion (transport de la neige l'hiver, de la terre et de la pierre l'été).

En réalité, il ne voulait absolument pas de ce bébé. La première fois qu'il vit son deuxième fils, ce fut lorsque ma mère sortit de l'hôpital, le bébé dans ses bras. Lorsque mon père jeta les yeux sur moi, même si j'étais un beau bébé, normal et en santé, son cœur resta de glace. Cela durerait.

CHAPITRE DEUX

Certains épisodes de mon enfance m'ont marqué profondément. Je désire en faire mention pour illustrer à quel point la méchanceté, la violence, la cruauté et la dureté du cœur peuvent engendrer des conséquences néfastes chez un enfant. On m'a demandé ce qui fait le plus souffrir : les coups reçus, ou les paroles blessantes et cruelles…Ayant subi les deux, je peux affirmer que les deux font aussi mal, mais que les paroles cruelles blessent beaucoup plus longtemps que les coups reçus.

Un quatrième enfant s'ajouta à la famille deux ans et demi après ma naissance, et même un cinquième, trois ans plus tard. Lorsque le dernier fut en âge de quitter sa chaise haute et de s'asseoir à la table avec les autres, nous avons constaté un petit problème : il y avait sept personnes autour de la table et seulement six chaises. Il aurait pourtant été bien simple d'acheter une chaise, mais mon père préféra m'assigner la poubelle de la cuisine. Celle-ci, en métal, était munie d'une pédale pour ouvrir le couvercle. Elle fut placée au coin opposé de la table, et faisant face à la place de mon père. Ainsi, mon côté droit touchait le mur, derrière moi se trouvait le réfrigérateur et ma mère, à ma gauche, devait bouger sa chaise pour me laisser sortir de table. Je me sentais vraiment coincé. Ce qui devait être une situation temporaire se prolongea durant sept longues années.

Mes parents se demandaient souvent pourquoi je n'avais jamais faim, et pourquoi j'étais aussi lent à terminer chaque repas. On se moquait de moi en me surnommant « la mélasse du mois de janvier » tellement la nourriture me roulait dans la bouche. Ma mère, en riant, me déconseillait de sortir en maillot de bain pour que les chiens ne me courent pas après pour me dévorer les os. Mes parents n'ont jamais compris à quel point c'est pénible pour un enfant de manger assis sur une poubelle. Cela le rend malheureux et lui coupe l'appétit.

J'avais quatre ans lorsque ma mère contracta la tuberculose. Elle demeura à l'hôpital près d'un an. Pendant ce temps, mon père dut placer mon jeune frère Yves (le quatrième enfant à cette époque). Il le confia à sa sœur, sa marraine. Il dut également faire appel aux services de gardiennes pour s'occuper des trois autres enfants qui restaient à la maison. Je me souviens, en particulier, de la gentillesse de Christiane. Elle jouait avec nous, chantait des chansons, racontait des histoires et allait même jusqu'à nous acheter des bonbons avec son argent. Je n'ai pas non plus oublié une autre gardienne, Rachelle, fort méchante. Parfois, elle nous enfermait dans notre chambre et mettait la musique à tue-tête. Puis elle partait avec son copain et revenait une à deux heures plus tard. Au petit-déjeuner, quand le beurre était dur, elle en mettait un morceau dans sa bouche pour le faire fondre, puis le crachait sur nos rôties. Il lui arrivait fréquemment de nous battre pour des peccadilles. Un jour, un garçon du quartier vola mon camion Tonka. Quand je voulus le reprendre, il me lança une grosse pierre à la tête. Je saignai abondamment. Lorsque j'arrivai à la maison, la gardienne m'accueillit avec des coups avant de me soigner parce que j'avais sali le plancher avec mon sang.

Étant donné que mon père ne nous croyait jamais et nous terrorisait, personne n'osait lui avouer ce qui se passait en son absence. Quant à la gardienne, elle nous menaçait en nous disant que si nous lui parlions, ce serait bien pire pour nous. Pour rire un peu et nous remonter le moral, mon frère et moi chuchotions que nous aimerions bien asseoir cette grosse vilaine sur la cuisinière pour lui chauffer les fesses.

Un jour, pour éviter de me faire battre par elle, je m'enfuis de la maison en courant. Je dévalai les escaliers à une vitesse que je n'aurais jamais crue possible pour mes petites jambes… La peur donne des ailes, dit-on. Je grimpai dans un poteau de corde à linge et m'assis tout en haut afin de m'assurer qu'elle ne puisse m'attraper. Les gens qui habitaient au troisième étage devaient se tenir debout sur leur balcon pour être à mon niveau. Ils me parlèrent avec douceur pour ne pas m'effrayer, et essayèrent de me convaincre de descendre de mon perchoir improvisé. Ils finirent par appeler les policiers, qui vinrent à mon aide. Quand j'aperçus la voiture de mon père arriver sur les lieux, je descendis de mon refuge. J'expliquai aux policiers pourquoi j'avais agi ainsi, en leur racontant tout ce que la gardienne nous faisait subir à ma sœur, mon frère et moi. Les policiers déclarèrent à mon père qu'un enfant ne pouvait inventer une histoire pareille. Mon père dut se rendre à l'évidence et il me crut. Je n'en revenais pas. C'était la première fois de ma vie que cela se produisait. Ce fut probablement la seule et dernière. Par la suite, mon père congédia la gardienne.

À la même époque, mon frère Claude et moi avions décidé, tôt un samedi matin, d'imiter les adultes lorsqu'ils fumaient une cigarette. Assis sur le divan, nous avons pris des allumettes et, après plusieurs tentatives, je réussis enfin à en allumer une. L'étincelle qui jaillit me fit sursauter et je laissai l'allumette tomber sur moi. Si j'avais soufflé dessus, je l'aurais éteinte, et tout aurait été fini, mais j'ai figé, incapable de prononcer un seul mot. Je regardais, immobile, le feu se propager sur mes vêtements quand mon frère courut dans la maison en criant très fort : « Daniel est en train de brûler, vite il faut venir l'aider ! »

Mon père accourut. Voyant les flammes monter très haut sur mes cuisses, il saisit la couverture du divan pour en envelopper mon corps afin d'éteindre le feu. Il téléphona ensuite à l'hôpital et un médecin vint à la maison me soigner. Je me souviens que lorsqu'il enleva des morceaux de pyjama collés sur mes cuisses, la peau se détacha avec le tissu. Le médecin dit à mon père que j'étais brûlé au troisième degré sur une zone de six pouces de diamètre à l'intérieur de la cuisse gauche, et de deux pouces à l'intérieur de la cuisse droite. Malgré tout, je m'en suis bien tiré car j'aurais pu être brûlé sur une plus grande partie de mon corps, et la zone atteinte n'était pas très apparente. Je dois avouer que cette expérience refroidit mon goût de jouer avec le feu, du moins pendant quelques années. J'ignore comment et quand mon père a annoncé la nouvelle à ma mère étant donné qu'elle était encore hospitalisée.

Un soir, nous recevions à souper un de mes oncles avec sa femme et ses deux enfants. Je devais avoir onze ou douze ans. Je me souviens que je me trouvais au salon en train de parler avec mon oncle lorsque mon père entra, affirmant que le salon n'était pas ma place, qu'il me fallait sortir et aller jouer avec les autres enfants. Je lui demandai s'il acceptait de me donner une minute pour que je termine ma conversation avec mon oncle. Non seulement je n'eus pas eu le temps de finir ma phrase, mais mon père me gifla violemment au visage en hurlant que je n'avais pas à lui répondre. Ensuite, il me roua de coups puis me mit à genoux devant le mur en m'ordonnant de rester là sans dire un mot ni pleurer. Je me sentis abandonné. Lorsque je regardai mon oncle, mes yeux lançaient un appel à l'aide. Je savais qu'il aurait facilement pu arrêter mon père puisque, physiquement, il était plus fort que lui, mais il ne prononça jamais une seule parole et ne tenta rien pour m'aider. Ce jour-là, je me souviens de l'avoir traité de lâche intérieurement.

CHAPITRE TROIS

J'ignore quels sont vos souvenirs de Noël, mais si je vous demandais d'essayer de vous remémorer comment se passaient vos réveillons d'enfance, le pourriez-vous ?

Pour la plupart d'entre vous, cela ressemblerait sans doute à un sapin couvert de lumières de toutes les couleurs, décoré de cheveux d'ange et de boules de différentes formes, toutes plus belles les unes que les autres, sans oublier les cadeaux, les guirlandes au plafond, les lumières multicolores aux fenêtres et les personnages de Noël placés un peu partout à l'intérieur et à l'extérieur de la maison. Et puis une profusion de nourriture, de la musique, de la danse, des rires, des chants, de nombreux cousins et cousines avec qui jouer. Dans ma tête d'enfant, c'était exactement ainsi que Noël devait se passer, mais, chez nous, ou du moins pour moi, cela n'était pas le cas. Deux Noëls en particulier ont laissé un triste souvenir dans ma mémoire. À tel point que, encore aujourd'hui, à l'approche des fêtes, j'ai des serrements dans la poitrine et je n'ai que le goût de pleurer.

Le premier Noël dont je me souviens (j'avais alors huit ans), mes parents reçurent pour le réveillon. À cette époque, les familles comptaient beaucoup d'enfants : ils jouaient, riaient et couraient partout dans la maison. Un de mes cousins, âgé d'environ dix ans, se mit à sauter sur un lit comme sur un trampoline. C'était à prévoir… Il finit par tomber et se blesser. Craignant d'être grondé et puni, il mentit à sa mère en prétendant que je l'avais poussé. Cette dernière s'empressa d'aller se plaindre à mon père.

Il n'en fallut pas plus pour que mon père se dirige vers moi, très en colère. J'ignorais ce qui s'était produit puisque je me trouvais aux toilettes. En sortant, j'allais retrouver mes cousins pour continuer à m'amuser, tout en pensant à la table garnie de friandises de toutes sortes, quand mon père me saisit par le col de ma chemise et me souleva sans dire un mot. J'ai vite compris qu'il n'avait pas l'intention de jouer, surtout que cela ne se produisait jamais avec moi, et je me suis débattu autant que j'ai pu tout en pleurant. Mon père me transporta sans dire un mot jusque dans ma chambre puis me souleva de manière à ce que mon visage soit à la même hauteur que le sien. J'étais paralysé de terreur devant son regard vitreux, son visage rouge de colère et les veines gonflées de son cou. Je n'arrivais pas à détourner les yeux. J'ai senti mes forces m'abandonner. Je me souviens avoir vu la mort dans son regard quand, en silence, il s'élança pour me frapper d'un grand coup de poing au visage. Mon réveillon de Noël se termina brutalement. Je ne repris connaissance que le lendemain après-midi.

Quand je demandai à mes parents pourquoi j'avais encore été battu, j'appris ce qui s'était passé la veille. J'essayai de leur expliquer que je n'étais pas responsable de l'accident de mon cousin puisque je ne me trouvais même pas dans la chambre au moment de sa chute. Encore une fois, mon père ne dit rien. Il se contenta de me regarder droit dans les yeux. Son regard froid disait : « Je m'en fous, de toute façon ça m'a fait beaucoup de bien. »

À force de recevoir des coups, je finis par m'endurcir. À un certain moment, je voulus lui tenir tête en refusant de pleurer, sauf que mon père frappait de plus en plus fort. Je compris rapidement que si je ne pleurais pas, il finirait par me tuer de rage. Je pleurais donc à chaudes larmes et, satisfait, il finissait par se calmer puis cessait de me frapper.

Après cet incident, une question surgit dans mon esprit : « Pourquoi ne m'aimez-vous pas ? » Tout au long de l'année, cette question me tortura, sans pour autant que je trouve la force de la poser à mes parents. Peut-être parce que leur réponse me terrifiait. Bien sûr, d'autres questions s'ajoutaient : « Est-ce ma faute ? Suis-je trop turbulent ? Est-ce la raison pour laquelle je mérite de me faire battre ? » Puis cette réflexion me venait : « Si j'agissais comme les autres, tout serait-il différent pour moi à la maison ? » Je décidai alors d'imiter mes frères et sœurs afin que mes parents m'aiment aussi.

Lorsque je commençai à étudier de près le comportement de mes frères et sœurs, je fus très surpris de constater que non seulement j'étais plus tranquille qu'eux, mais que j'étais toujours effacé, seul dans mon coin ! Quand mon père punissait un enfant, j'étais puni moi aussi, même si je n'avais rien fait, tout simplement parce que je me trouvais dans la même pièce ou dans la maison au même moment. Encore aujourd'hui, j'ignore pourquoi j'ai été tant battu.

C'est également lors de cette période de réflexion que l'idée humiliante de prendre mes repas assis sur une poubelle commença à me peser et à me faire souffrir. Je ne cessais de me demander pourquoi personne d'autre que moi ne subissait le même sort. Cela était sans compter que j'étais celui qui, plus souvent qu'à mon tour, était désigné à la corvée des déchets. Cela n'était pas de tout repos, puisque nous habitions au deuxième étage d'un édifice à logements.

Pendant la journée, lorsque nous étions turbulents, comme n'importe quels enfants normaux, ma mère nous disait : « Si vous ne restez pas tranquilles, je le dirai à votre père lorsqu'il va rentrer ce soir ! » Ce qu'elle ne manquait pas de faire en n'omettant aucun détail. Quand mon père arrivait, immanquablement, il nous battait à tour de rôle.

J'en viens à vous parler du deuxième Noël. J'avais neuf ans, et le réveillon, cette année-là, eut lieu chez un de mes oncles. Au début de l'après-midi, toute la famille se rassembla au salon pour ouvrir les cadeaux avant de partir. Lorsque tous les présents furent distribués, je constatai que je n'avais rien reçu. On m'avait oublié. Intentionnellement ? Je l'ignore. Quoi qu'il en soit, j'étais assis en retrait de la famille, et j'observais mes frères et sœurs jouer avec leurs cadeaux. Je souffrais, non seulement parce que je n'avais pas eu de cadeau, mais parce que, visiblement, cela ne semblait pas déranger mes parents. Pour la première fois, sûrement à cause de la très grande peine et de la douleur que je ressentais, j'eus le courage de me lever et de me diriger vers ma mère. Je la regardai droit dans les yeux et lui posai enfin cette question qui me torturait l'esprit depuis déjà plus d'un an : « Pourquoi vous ne m'aimez pas ? » Alors, pour la première fois de ma vie, j'entendis le mot « aimer » de la bouche d'un de mes parents, lorsqu'elle déclara : « Bien voyons, ce n'est pas vrai, on vous aime tous pareil. »

Après ce mensonge, je partis dans ma chambre en pleurant. J'y restai seul jusqu'à ce que ma mère vienne m'y retrouver, plus d'une heure plus tard. Je croyais qu'elle venait me consoler et me dire qu'elle était désolée pour moi. Non, elle était seulement venue me dire de cesser de pleurer et de me préparer à partir. Tout au long du trajet jusqu'à chez mon oncle, je restai assis à l'arrière dans la voiture, sans dire un mot, sans pleurer, mais j'avais le cœur gros et plein d'interrogations dans la tête. Pour la première fois de ma vie je me sentis seul au monde, au milieu d'étrangers, sans personne pour me réconforter.

Arrivé chez mon oncle, comme j'étais toujours aussi triste, je n'avais pas du tout envie de rire ou de jouer avec mes cousins. Je décidai donc de rester au salon avec les adultes, assis devant mon père, de peur que quelqu'un vienne lui dire que j'avais fait mal à quelqu'un. Je voulais aussi être certain d'avoir des témoins pour prendre mon parti. Deux heures après notre arrivée, je remarquai que plus mes oncles et tantes buvaient, plus ils riaient, chantaient et dansaient. J'en déduisis que si je buvais aussi, je pourrais rire et m'amuser comme eux. C'est ainsi que je commençai à boire, dès l'âge de neuf ans.

Ce soir-là, je consommai deux ou trois bières, assez pour que la tête me tourne et que je me sente ramolli au point de tomber dans les escaliers menant au sous-sol. Je ne me blessai pas, heureusement. À partir de ce jour, je crus avoir découvert la façon simple d'avoir l'impression d'être heureux et de penser moins au mal qui me rongeait. Je buvais de temps en temps, prenant des bières dans le réfrigérateur et fouillant dans le bar de mon père. Lorsque je me rendais chez mes amis, j'étais toujours celui qui proposait d'acheter des bières ou de fouiller dans le bar des parents. Quand je pouvais, je m'achetais des bouteilles de bière à l'unité pour boire en cachette.

Le temps des Fêtes étant terminé, je croyais que tout cela serait derrière moi. Mais un autre incident se produisit. Au retour de l'école, j'étais assis au salon lorsque mon père rentra de sa journée de travail. Même si je reconnus le bruit qu'il faisait en entrant chaque soir, je me souviens que je refusai de le regarder, me sachant non aimé, non accepté, et trahi au plus profond de mon être.

Je n'avais pas envie du tout de le voir. Soudainement, il me lança quelque chose au visage. Surpris, je me retournai rapidement et je le vis dans le couloir, me désignant la boîte tombée à mes pieds. Ce colis non emballé qui, au premier regard, ressemblait à une boîte de pizza, contenait un jeu… le genre de jeu dont personne ne veut. Puis mon père me dit : « Tiens, le v'là ton hostie de cadeau. Asteure ferme ta côlice de yeule, pis je veux plus t'entendre pleurer ! » Dès lors, je fus convaincu que le père Noël n'existait pas. Pour moi, la fête de Noël était tout sauf une fête de Dieu, parce que trop de souffrance l'accompagnait.

Je me levai et pris la boîte (mon cadeau de Noël avec plus de deux semaines de retard) puis me dirigeai vers ma chambre en pleurant, sauf que, cette fois, ce fut différent. Je cessai bientôt de pleurer, je me révoltai et je lançai la boîte au fond de la garde-robe. Puis je m'allongeai sur mon lit, pour prendre de grandes décisions… Décisions dont un enfant de neuf ans ne devrait jamais avoir même l'idée. Je décidai que, puisque mes parents ne m'aimaient pas, je ne les aimerais pas non plus. Cela dit, durant des années, je leur offris beaucoup de cadeaux, bien souvent au-dessus de mes moyens, dans l'espoir (conscient ou inconscient ?) d'être enfin aimé d'eux. Cependant, même cela ne changea rien à la situation.

En fait, j'avais tellement besoin d'attention, d'amour et de reconnaissance, que je ne trouvai rien de mieux que de passer des heures à enlever de la peau sèche sous les pieds de ma mère quand nous nous trouvions à la maison. N'importe quoi pour avoir un contact physique avec un de mes parents. Elle s'allongeait sur le côté, sur le divan du salon, et plaçait ses pieds sur moi. Ce seul contact humain se reproduisit quelques années, ce qui m'amena à croire, étant le seul des enfants à faire cela, que je profitais avec ma mère d'un privilège que mes frères et sœurs n'avaient pas.

Je commençai également à lire des photos-romans parce que ma mère en feuilletait régulièrement et que cela me permettait de partager une autre activité avec elle. Ainsi, il me semblait que nous avions établi une complicité mutuelle, et que ces instants n'appartenaient qu'à nous.

Je me souviens également que, alors que j'avais dix ans, nous avons été invités chez une tante, en Estrie. Le matin, ma tante prépara une grande assiette de rôties afin que personne ne soit obligé d'attendre trop longtemps avant de prendre son petit-déjeuner. Sauf qu'elle avait oublié de les tartiner de beurre. Résultat : après plus d'une heure, celles-ci étaient devenues sèches comme des os.

Encore aujourd'hui, tout comme à cette époque, je n'aime pas manger des rôties sèches. Lorsque je les prépare, je m'empresse de les tartiner dès qu'elles sortent du grille-pain afin qu'elles demeurent tendres, chaudes et délicieuses. Mais ce jour-là, quand je demandai à ma tante si je pouvais me faire deux rôties en espérant les avoir chaudes et molles, mon père piqua une colère puis me frappa au visage. Selon lui, je n'avais pas le droit de demander une telle chose, et j'imagine qu'il a pensé que je venais d'insulter ma tante de façon odieuse.

Lorsque j'avais douze ans, avec mon frère Claude et un ami, nous avons volé quelques articles d'école dans un centre commercial. La police nous arrêta et nous ramena, penauds, à la maison. Mon père était tellement furieux, qu'après nous avoir engueulés et frappés, il nous obligea à nous allonger à plat ventre sur le lit, pantalons et sous-vêtements baissés jusqu'aux chevilles, puis nous tint par les bras pour nous immobiliser pendant que ma mère nous fouettait les fesses avec une ceinture en cuir. Mon frère fut le premier à subir ce châtiment. Je devais regarder sans dire un mot et sans bouger, tout en sachant très bien ce qui m'attendait, puisque j'étais le suivant. J'en avais de la peine à respirer, c'était comme si j'avais eu les jambes coulées dans le ciment. J'étais paralysé de terreur. Je regardais et j'avais peine à croire ce que j'étais en train de voir et ce que j'allais vivre. Je souhaitais que ce soit un horrible cauchemar dont j'allais me réveiller le plus rapidement possible. Lorsque ce fut mon tour, je pleurai avant même de recevoir le premier coup de fouet. Mon père me tenait par les bras pour m'obliger à demeurer couché sur le ventre, et ma mère me fouettait pendant que j'entendais mon frère pleurer de douleur. Cet affreux souvenir me hante encore de temps à autre.

Il fallut plus d'un mois avant que mon frère et moi puissions dormir sur le dos ou nous asseoir confortablement. Je trouve monstrueuse la simple pensée de faire subir de tels sévices à ses enfants, et que le faire, bien entendu, est pire encore. Par la suite, nous n'avons pas pu jouer dehors avec nos amis pendant un an. Notre seul droit était celui d'aller à l'école. Nous devions être rentrés à la maison à une heure précise puisque mon père savait exactement le temps qu'il nous fallait pour parcourir le trajet de l'école à la maison. Nous avions intérêt à être à l'heure…

CHAPITRE QUATRE

Quand mon père bricolait dans la maison, comme il n'était pas très bien installé, je devais lui servir d'étau pour tenir les morceaux de bois ou de métal qu'il devait scier, percer ou visser. Imaginez-vous une vieille table de cuisine en mélamine avec de petites pattes rondes en fer qui bougeaient tout le temps, placée dans le coin de la pièce. Son atelier se limitait à cet espace. Chaque fois que le morceau que je tenais bougeait, je me faisais traiter d'imbécile et d'incapable. Mon père criait, enragé, puis il me frappait, comme si c'était ma faute.

Un autre souvenir, lié aux tempêtes de neige, me hante toujours. Lorsqu'il neigeait, notre père nous réveillait, mon frère Claude et moi, vers deux ou trois heures, avant l'heure du lever pour l'école. Nous devions pelleter la neige afin que mon père puisse sortir sa voiture de la ruelle pour se rendre au travail. Il n'exigeait pas de nous que nous tracions seulement un passage pour que la voiture passe, mais nous devions aussi déneiger toute la largeur de la ruelle en la grattant jusqu'à ce que le fond soit dur sur une longueur de plus de cent pieds ! Nous devions également déblayer le stationnement pour la voiture de manière à ce qu'on puisse ouvrir les quatre portes sans toucher à la neige.

C'était tout à fait exagéré et stupide. Cette ruelle était mieux déneigée que les rues de la Ville de Montréal ! Sans compter que, en ce temps-là, les pelles étaient en fer, donc beaucoup plus lourdes, même vides, que les pelles en plastique d'aujourd'hui lorsqu'elles sont remplies de neige. On lançait la neige, et le tas pouvait atteindre plus de huit pieds. Comme mon frère et moi n'en mesurions pas plus de trois, et que nous n'étions à peine plus hauts que la pelle, il nous arrivait de manquer notre coup par manque de force et la neige retombait à nos pieds. C'était une autre occasion pour que mon père nous donne des claques derrière la tête, tandis qu'il nous criait de faire plus attention. Plus tard, il remplaça les pelles de métal par des pelles en aluminium plus légères, enfin ! Cette routine hivernale dura jusqu'à ce que je parte de la maison familiale, à seize ans.

CHAPITRE CINQ

Mon père aimait beaucoup aller à la pêche, tout comme mon frère Claude et moi. Un jour, il nous amena pêcher à l'ouest de Valleyfield, plus précisément au lac Saint-François, et nous y sommes retournés régulièrement durant quelques années. Au début j'étais très content d'y aller, convaincu que je pourrais vivre des moments heureux avec mon père, et souhaitant que cette activité me rapproche de lui. Ces matins-là, il nous réveillait vers trois, quatre heures du matin afin que l'on arrive tôt au lac. Nous avions en effet plus d'une heure de route à faire.

Lors de ces parties de pêche, mon père louait une chaloupe sur le site. On surnommait ces embarcations des « sous-marins » tant elles prenaient l'eau. Le contenant en plastique pour enlever l'eau qui montait au fond de la chaloupe faisait partie de l'équipement obligatoire, au même titre que les rames. Il fallait retirer de l'eau toutes les heures si on ne voulait pas se mouiller les pieds. C'était de vieilles chaloupes d'un vert délavé par l'usure, tachées par l'herbe du lac et le sang des poissons, probablement jamais lavées depuis fort longtemps sauf par la pluie.

Un souvenir me fait encore rire après toutes ces années. Un jour de grand vent, mon frère et moi nous étions cachés sous une grande toile à l'avant de la chaloupe pour nous protéger des très hautes vagues, je dirais même impressionnantes. À un certain moment, j'ai soulevé la toile pour regarder où nous étions lorsqu'une énorme vague frappa l'avant de la chaloupe. Je fus aussi trempé que si j'étais tombé à l'eau tout habillé. Dame Nature m'avait joué un bon tour.

Finalement, mon père décida d'acheter une chaloupe en fibre de verre. Cette embarcation était belle mais très lourde, pesant environ deux cents livres. De nouveaux problèmes surgirent parce qu'il n'avait pas acheté de remorque pour transporter la chaloupe en question. Il fallait donc que mon frère Claude et moi levions la chaloupe à bout de bras juste pour atteindre le toit de la voiture de notre côté, tandis que notre père la soulevait de son côté pour arriver à la poser à l'envers sur le toit de sa voiture. Une entreprise très difficile pour des enfants aussi jeunes et petits que nous. Comme à son habitude, notre père jurait et nous insultait, refusant de comprendre que nous n'étions que des enfants et non des hommes.

À peine arrivés sur le lac, nous nous mettions aussitôt à pêcher et cela se poursuivait toute la journée sans que nous débarquions de la chaloupe. Nous devions manger sur le lac, et même y faire nos besoins. Il ne fallait surtout pas perdre de temps, sinon notre père n'aurait, selon lui, pas assez pris de poissons. Encore une fois, son égoïsme destructeur primait. Je finis par comprendre que ces journées de pêche avec nous n'étaient pas organisées pour partager une activité, ou pour le simple plaisir de la pêche. Mon père souhaitait notre compagnie pour transporter et surveiller l'attirail de pêche et rapporter plus de poissons. La pêche était pour lui un moyen d'entrer en compétition avec tous les autres pêcheurs du club. Puisque les quotas n'existaient pas à l'époque, il s'arrangeait toujours pour finir sa journée avec plus de poissons que tous les autres pêcheurs. À la fin de la journée, lorsque nous revenions sur la rive, il se pavanait comme un coq en se vantant à la ronde du nombre de ses prises : habituellement soixante-dix poissons, parfois plus.

Chaque fois qu'un autre pêcheur faisait, à son tour, mention du nombre de poissons pêchés, si ces prises étaient inférieures aux siennes (ce qui était presque toujours le cas), notre père, gonflé d'orgueil, se moquait méchamment de lui en s'empressant de lui répéter combien, lui, en avait pris.

Le plus triste au cours de toutes ces années, c'est que jamais mon frère Claude et moi n'avons eu la possibilité de sortir un seul beau gros poisson nous-mêmes. En effet, chaque fois que nous attrapions un poisson de belle taille, notre père devenait tout excité, les yeux aussi brillants que ceux d'un enfant devant le cadeau de ses rêves. Il nous arrachait brusquement la canne à pêche des mains pour retirer lui-même le poisson de l'eau. Du coup, il se gardait le privilège de sortir tous les poissons. Par la suite, il nous disait, tout excité : « Dépêche-toé de rentrer ma ligne avant que les cordes s'emmêlent. Va chercher la puise pis dépêche-toé avant que le poisson arrive près de la chaloupe. Vite, mets la puise dans l'eau. Dépêche-toé tabarnaque, sinon on va le perdre ! » Et cela recommençait à chaque prise. Les seuls poissons que mon frère et moi avions le droit de sortir étaient ceux qui étaient trop petits, si bien qu'on ne sentait même pas leur poids au bout de la ligne. Les dernières fois où je suis allé à la pêche avec mon père, je craignais tellement qu'un gros poisson morde à ma ligne (j'appréhendais en effet de me faire retirer la canne des mains et l'énervement qui s'ensuivait) que je faisais en sorte de laisser sortir trop de corde afin de prendre mon appât dans les herbes du fond du lac. Ainsi, les poissons ne mordaient pas à ma ligne. Satisfait, je me disais qu'au moins, ceux-là, mon père ne les aurait pas !

Un jour, nous avons cessé de pêcher plus tôt que d'habitude. À la fin de la journée, notre père nous annonça que nous allions souper au restaurant du club de pêche avant de partir. Ce fut la première et la dernière fois qu'il nous invita. Je n'en croyais pas mes oreilles et ma joie fut de courte durée puisque, lorsque nous avons commencé à marcher en direction du restaurant, mon père se retourna vers moi, me regarda droit dans les yeux et dit : « Pas toi. Tu vas rester ici surveiller la chaloupe avec tout l'équipement de pêche. Attends ici et ne t'éloigne pas, ton frère va t'apporter ton lunch. »

Pendant que mon père et mon frère mangeaient, assis bien confortablement au restaurant, je prenais mon repas dans la chaloupe avec tout l'attirail de pêche, les poissons, les odeurs et les mouches. Et croyez-moi, des mouches, il y en avait des centaines qui me tournaient autour ! Le plus triste était de penser que si on avait pris quelques minutes pour ranger l'équipement dans la voiture avant d'aller manger, j'aurais pu être au restaurant avec eux. Encore une fois, je considérai cet incident comme une punition et une provocation de la part de mon père, ce qui contribua à me faire prendre la décision de ne plus aller à la pêche avec lui.

De plus, comme nous prenions toujours de nombreux poissons, nous en avions beaucoup trop pour les besoins de la famille. Nous donnions des poissons à tous les voisins du quartier pour ne pas en gaspiller. Après quelques années, pour que les voisins les acceptent, mon père m'obligea à les vider, à leur couper la tête et les nageoires.

Lorsque j'en eus le courage, ou plutôt lorsque je fus écœuré au point d'en avoir la nausée, je trouvai la force de dire à mon père que je ne voulais plus aller à la pêche.

Cela fait plus de trente-cinq ans, et je n'ai jamais retrouvé le goût de la pêche. Il m'aura fallu plus de vingt ans avant de pouvoir y retourner et jamais la flamme ne s'est rallumée. Au début des années 1980, je reçus de mon employeur une canne à pêche en cadeau. Dix ans plus tard, je me décidai enfin à m'acheter un moulinet, et il fallut deux autres années de plus avant que je me procure du fil à pêche et des appâts. Maintenant, quand je vais à la pêche, il est très rare que je prenne des poissons. Je suis presque toujours celui qui en attrape le moins. La seule motivation que j'ai est d'abord la compagnie de mes frères et d'amis, et la joie d'admirer la beauté de la nature et de me remplir d'air pur.

CHAPITRE SIX

À neuf ans, je décidai que l'école ne m'apportait plus rien. Bien sûr, je continuai d'y aller, mais je n'y étais plus mentalement. À partir de ce jour, mes notes baissèrent pour ne jamais remonter.

Au cours de la même période, je pris la décision de ne jamais me marier et de ne jamais être père. Je trouvais que le monde était trop laid pour le faire connaître à un enfant. Pour cette même raison, je ne voulais plus continuer à vivre sur cette terre d'enfer. Je désirais mourir.

Alors je jetai le jeu, ce pseudocadeau que mon père m'avait lancé au visage, et dont je n'avais jamais ouvert la boîte. Ensuite, je commençai à faire des tentatives de suicide en me lançant devant des voitures, en grimpant partout où c'était dangereux, en me disant que si je tombais d'assez haut, je pourrais me tuer. Après quelques essais infructueux, je compris que je risquais plutôt de me blesser.

Craignant que quelqu'un découvre mes intentions et tente de m'empêcher d'exécuter mon sombre projet, je révisai mes plans. Je reporterais mon suicide à plus tard, et alors je le planifierais à la perfection. Il fallait que ça se passe vite, sans douleur, et, surtout, que je ne manque pas mon coup.

CHAPITRE SEPT

Entre-temps, je cherchais une façon de partir de la maison pour échapper aux mauvais traitements de mon père. C'est ainsi que je commençai à travailler dès l'âge de neuf ans.

Quelques mois après mes débuts sur le marché du travail, toujours dans le but de préparer mon départ de la maison, je demandai au concierge de notre immeuble le coût d'un loyer. Quand il répondit, je compris que six mois de salaire ne suffiraient pas pour payer un seul mois de loyer. Il fallait trouver un autre moyen, sinon je ne pourrais jamais partir.

Malgré mon maigre salaire, je continuai à travailler parce que j'y trouvais tout de même certains avantages. Cet argent me permettait, par exemple, d'acheter des vêtements à ma taille. Quand mon père en achetait, il prenait toujours des pantalons trop grands pour moi en me disant qu'ils me feraient plus longtemps. À tel point que, lorsque je détachais ma ceinture, le pantalon glissait par terre. On me donnait aussi à porter les vieux vêtements de mon frère Claude, plus grand et plus âgé que moi d'un an. Fait cocasse, vers l'âge de dix ans, je me mis à grandir très rapidement et, en deux ans, je dépassai mon frère aîné. Pourtant, notre père n'a jamais donné mes vêtements usés à « son Claude ».

Il faut se souvenir qu'à la fin des années 1960, les gens s'habillaient élégamment et que les vêtements se portaient ajustés. Il est facile de comprendre que j'étais très embarrassé de sortir habillé de cette manière pour jouer avec mes amis ou aller à l'école. Une seule fois, j'osai dire à mon père que mes pantalons étaient vraiment trop grands, en espérant qu'il comprenne ma gêne et m'achète un pantalon à ma taille. À ma grande déception, il me répondit que c'était lui qui payait mes vêtements, et que je n'avais qu'à les payer moi-même si je n'en étais pas content. C'est ce que j'ai fait…

J'aimais également travailler parce que j'étais traité comme un adulte par mes employeurs. Cela a grandement contribué à augmenter ma confiance en moi et à me valoriser. Il m'arrivait de parler avec eux, de tout et de rien, comme avec des amis de longue date. Le plus grand avantage était que mon père ne pouvait pas me battre quand je me trouvais au travail.

Avec mon argent, je pouvais payer mes bières, mes sorties et mes cigarettes. Eh oui, je fumais aussi la cigarette pour être accepté par « la gang », étant donné que j'étais le plus jeune. Trois ans plus tard, j'ajoutai la pipe à mes mauvaises habitudes.

Je travaillais beaucoup mais il m'arrivait de temps à autre de m'amuser avec des amis. Cela me servait d'évasion, c'était un rayon de soleil à travers les nuages de la tempête. Après tout, je n'étais qu'un enfant. J'aimais surtout retrouver mon ami Rénald qui fumait la pipe lui aussi. Avec l'accord de son père, on empruntait quelques outils dans son coffre puis on se rendait dans la cour arrière d'un garage, boulevard Pie IX, où se trouvaient plusieurs voitures entassées pour la ferraille. On jouait aux mécaniciens, défaisant toutes les pièces que l'on pouvait extirper des carcasses, puis on essayait de les remettre en place. Une journée de forte pluie, nous sommes restés dans une voiture, feignant de la conduire tout en gardant les vitres fermées pour ne pas se faire tremper. Nous en avons profité pour allumer nos pipes. Il y avait tellement de fumée à l'intérieur de la voiture qu'un passant a appelé les pompiers. Lorsque nous les avons vus arriver et arrêter leur camion près de la voiture, mon ami et moi, intrigués, sommes sortis de la voiture pour aller voir où se trouvait « l'incendie ». Quand nous avons ouvert les portières, les pompiers sont restés figés en nous voyant. Ils nous ont dit qu'il y avait tellement de fumée, qu'ils n'avaient rien pu distinguer à l'intérieur de la voiture. C'est à ce moment que nous avons compris qu'ils étaient là pour nous. Mon ami et moi avons bien ri quand nous avons pris conscience de ce qui venait de se passer. Prenant un air sévère, un des pompiers nous a dit de ne plus jouer dans les voitures parce que c'était trop dangereux. Cela ne nous a pas empêchés d'y retourner régulièrement pour jouer aux mécaniciens et continuer à y fumer. Sauf que, désormais, nous prenions bien soin de baisser un peu les vitres avant d'allumer nos pipes.

Souvent, nous nous rendions chez l'oncle de Rénald qui demeurait à environ cinq kilomètres de chez nous. Il vivait seul, et cela lui faisait toujours plaisir de nous voir arriver à sa porte. Il travaillait dans un garage, réparant les carrosseries d'automobiles. Le samedi, on s'y rendait avec lui pour travailler nous aussi. Son patron agissait avec nous comme si nous étions ses employés; il nous faisait faire le ménage, sortir les déchets; il nous donnait du papier de verre et nous laissait poncer chacun notre côté de voiture, même si, chaque fois, il devait faire reprendre notre travail par ses hommes.

À la pause, le patron nous payait des liqueurs douces et des gâteaux à la cantine mobile. À la fin de la journée, il nous donnait à chacun une paye de cinq dollars pour nous remercier et nous encourager. Mon ami et moi étions très contents. On se disait qu'on était maintenant des hommes parce qu'on travaillait avec des hommes et, surtout, parce qu'ils nous traitaient comme tels. Quel grand bonheur ce fut pour moi !

Quand l'oncle de Rénald avait congé, les fins de semaine, il organisait parfois des sorties à la campagne. Une de ces sorties m'a beaucoup marqué. Un jour, il nous emmena en forêt pour chasser le lièvre avec une carabine de calibre 22. Il nous apprit à marcher sans faire de bruit pour ne pas faire fuir les lièvres et, quand il en voyait un, ce qui était très rare, il nous donnait le fusil à tour de rôle pour tirer.

Quand mon tour vint, il me tendit le fusil en m'expliquant comment je devais le tenir, utiliser la mire en retenant mon souffle avant de tirer puis appuyer tout doucement sur la gâchette. Juste avant de tirer, me sentant incapable de tuer le lièvre, je dirigeai l'arme vers la droite pour tirer à dix pieds derrière l'animal. Vous auriez dû voir le lièvre disparaître sans demander son reste ! L'oncle sourit sans ajouter de commentaires. Il avait compris, et il nous proposa d'aller plutôt s'exercer sur d'autres cibles (non vivantes cette fois). J'ai été très sensible à cette attention et à sa gentillesse. Si la plupart des adultes (les « étrangers ») agissaient avec nous comme si nous étions des adultes, cet homme, lui, n'hésitait pas à se mettre à notre niveau en faisant des blagues et des mauvais tours. Puis, il riait comme un enfant. En fait, il redevenait un enfant en notre présence et on le considérait presque comme s'il avait eu notre âge.

J'avais un autre ami, Michel, avec qui je m'entendais bien. Il possédait une très grande collection de modèles réduits de fusées de tous les numéros des « Apollos » de l'époque. Dans sa chambre, il y en avait partout, sur les meubles, et suspendus au plafond. Tous ces modèles réduits étaient montés avec de la colle. Fusées, vaisseaux servant à alunir, et capsules destinées à tomber dans la mer avec des parachutes. Bien entendu, les murs étaient entièrement décorés de posters de fusées et d'astronautes.

Nous avons fabriqué des parachutes à nos soldats G.I. Joe, qui mesuraient de six à huit pouces. Ma mère confectionna même des parachutes avec de gros sacs-poubelle Glad. Le parachute faisait au moins trois pieds de diamètre. À chaque trou pour fixer les cordes, ma mère plaça des anneaux de renforcement pour qu'ils ne déchirent pas. Je lui fus très reconnaissant d'avoir participé à cette activité. Jusqu'alors j'ignorais qu'elle était aussi ingénieuse, même si je la savais très bonne couturière, et cordon-bleu.

Un jour, nous sommes montés sur le balcon arrière du troisième étage de notre immeuble et nous avons lancé nos soldats dans les airs. Avec le parachute, les soldats descendirent doucement les trente pieds sans aucun problème. Sauf que, une fois, le vent se leva et transporta mon soldat au-dessus de l'immeuble. Il se retrouva de l'autre côté, dans la rue.

Mon ami et moi descendîmes les escaliers à toute vitesse et courûmes jusqu'à l'avant de l'immeuble. Mon soldat se balançait dangereusement de gauche à droite entre les fils électriques. J'eus très peur qu'il reste pris sur un fil et qu'il s'électrocute, car je l'aurais perdu pour toujours. Quand, enfin, je réussis à le récupérer, je voulus m'assurer que le vent ne puisse plus jamais le faire monter aussi haut. Nous avons donc attaché deux piles rondes de lampe de poche dans le dos de nos soldats pour y ajouter du poids. Nous imaginions qu'il s'agissait de bouteilles pour les missions de plongée sous-marine. Tout était maintenant en place, et nos soldats descendaient parfaitement, peu importe le vent.

Nous avons également construit une fusée avec une boîte de réfrigérateur. Je revois tous les cadrans et les hublots dessinés à l'intérieur de la boîte. Des manches à balai nous servaient de manettes de contrôle. Hélas, le jour de la cueillette des déchets, quelqu'un jeta « notre vaisseau ». Qu'à cela ne tienne : nous avons décidé de fabriquer une autre fusée d'environ quinze pouces avec des verres en carton ciré surmontés d'un verre de carton en forme de cône pour faire la pointe, puis nous avons fixé trois bâtons à café en guise de pattes à notre fusée, nous disant que celle-ci allait réellement voler. Nous avons même acheté deux bâtons pour feux d'artifice afin d'imiter les flammes dessous lorsque nous y allumerions les mèches. Prêts pour le décollage, nous avons placé notre fusée sur l'asphalte du stationnement dans la ruelle. Quand nous avons allumé la mèche, la fusée n'a pas bougé d'un pouce, et les pattes sont demeurées cimentées au sol par la chaleur étant donné que l'asphalte avait fondu. Quelle déception ! Loin de nous décourager, nous avons reconstruit une fusée identique, mais cette fois nous avons placé une feuille d'aluminium sous la fusée afin que les pattes ne collent plus dans l'asphalte et qu'elle décolle réellement. Pour augmenter nos chances, nous avons ajouté deux pétards à mèche afin d'obtenir une bonne poussée au décollage. Cette fois, ce fut une vraie réussite : notre fusée s'éleva à plus de dix pieds. Quelle belle expérience et quel merveilleux souvenir j'en ai gardé !

Avec un autre ami, on s'allongeait sur le gazon pour observer les formes que prenaient les nuages. Toutes sortes de dessins apparaissaient, aussi différents les uns des autres, au gré de notre imagination. Quels beaux voyages j'ai faits à cette époque ! Je me souviens très bien avoir dit à mon ami qu'un jour je passerais à travers les nuages pour aller les toucher. Il ne m'a pas compris, répondant que je n'avais qu'à prendre l'avion. Je lui expliquai alors que je voulais passer à travers les nuages mais sans rien entre eux et moi, avec la sensation de les sentir, de les toucher et même d'y goûter. Sans en être conscient, je me préparais déjà mentalement au parachutisme. Ce que je fis quelques années plus tard. Ce fut pour moi une très grande source de liberté et de bien-être. Moi qui cherchais constamment des façons de m'évader, à cette époque j'en ai eu pour mon argent !

À l'école, je me montrais souvent très violent. Tout cela commença alors que j'avais environ dix ans, quand le « dur à cuire » de l'école me choisit pour cible et se mit à me menacer. Au début, j'avais tellement peur que je me mettais à pleurer. J'avais bien assez de me faire battre à la maison par mon père ! C'en était trop, je ne pouvais plus le supporter. Pourtant, à ma grande surprise, quand ce gars me frappa au visage, je constatai qu'il cognait beaucoup moins fort que mon père ne le faisait ; en fait, son coup ne me fit pas mal du tout. Avec le recul, je comprends, bien sûr, qu'un jeune de dix ans ne pouvait avoir la force et la puissance d'un adulte. Sans réfléchir, je le regardai droit dans les yeux et, avec un grand sourire, je lui dis : « Est-ce que c'est le mieux que tu peux faire ? » Alors, je vis la peur sur son visage, et je crus le voir fondre tant il rapetissait devant moi. Du coup, je me sentis grandir en puissance devant lui, et sentis l'accumulation de rage faire surface en moi. En deux temps trois mouvements, je bondis sur lui et le frappai à mon tour jusqu'à ce qu'il tombe. Puis je me plaçai au-dessus de lui et continuai à le frapper. C'était la première fois que je me défendais et je n'arrivais plus à m'arrêter. Heureusement, deux autres garçons nous séparèrent. Je regardais le garçon allongé par terre, pleurer, saigner du nez et de la bouche, et je ne pouvais m'empêcher d'en ressentir un immense plaisir. Je venais enfin de comprendre que je pouvais me défendre. Quel soulagement ! Je n'étais pas seulement fait pour recevoir des coups et me faire battre, mais je pouvais aussi frapper les autres pour me défendre et, très souvent, pour me défouler. Croyez-moi, cette sensation était très puissante, surtout les lendemains où mon père m'avait battu.

Je devins donc très batailleur et, quand la rage en moi devenait trop grande, je provoquais même les élèves plus âgés. Je suis convaincu que certains se reconnaîtront ou reconnaîtront des jeunes de leur entourage à la lecture de ces dernières lignes. Quand vous verrez ces jeunes remplis de violence, avant de les juger trop sévèrement, dites-vous bien qu'ils souffrent sans doute plus que ceux à qui ils font du mal.

Avec le temps, je devins un danger pour les autres élèves. À un point tel qu'en sixième année, le directeur et les professeurs de l'école se penchèrent sur mon cas. Ils trouvèrent une solution pour m'empêcher de me battre avec les autres élèves, au lieu de chercher la source du problème. Ainsi, lorsque j'arrivais à l'école, le matin, le surveillant m'accompagnait jusqu'au bureau du directeur où je devais demeurer debout, face au mur, les mains dans le dos, jusqu'au moment où tous les élèves étaient rentrés dans les classes. Il en était ainsi à la récréation, et tous les soirs après la fin de la journée d'école, pour permettre aux élèves de rentrer chez eux en sécurité.

Ce petit manège dura plus de deux mois, jusqu'à la fin de l'année scolaire. Le directeur me prévint alors qu'il avait averti le directeur de l'école secondaire où je devais étudier l'année suivante. J'y serais sous haute surveillance. Cet homme n'eut jamais l'idée de me demander pourquoi j'agissais ainsi, et comment je me sentais.

Lors de ma dernière bataille, j'eus très peur car je faillis tuer quelqu'un tellement je l'avais frappé à coups de poing et à coups de pied répétés. J'étais enragé, j'avais perdu le contrôle. Par la suite, je pris conscience que je n'avais pas à frapper tout le monde parce que j'en voulais à mon père. Je décidai alors de ne plus jamais me battre, sauf pour me défendre, ou me battre contre mon père, le cas échéant. Pour m'aider à me contrôler, j'augmentai ma consommation d'alcool car je savais très bien que j'étais plus calme lorsque je buvais.

À l'âge de neuf ans, avec mon frère Claude, je livrais des commandes d'épicerie avec une voiturette à quatre roues que je tirais par la poignée, accompagnant la dame qui venait de faire son épicerie. Puis, nous montions les sacs d'épicerie jusqu'à son logement pour un pourboire que je partageais avec mon frère. C'était de cinq à dix sous pour chaque livraison. Il faut se souvenir qu'à la fin des années 1960, les familles ne disposaient que d'une voiture et que le mari l'utilisait pour se rendre au travail.

J'augmentai mes heures de travail en devenant camelot pour le journal *Montréal-Matin*, que je livrais avant d'aller à l'école. Cela me permettait d'être seul dans la maison et j'en profitais pour fouiller dans le bar. Chaque soir, lorsque mon père rentrait, il prenait toujours plusieurs bières et quelques verres d'alcool. J'observais en douce quelles bouteilles il choisissait. Comme je ne connaissais pas les marques de boissons fortes, je remarquais la forme des bouteilles, les logos et la couleur du liquide pour m'assurer de prendre les mêmes, le lendemain, avant d'aller livrer mes journaux.

Une fois par mois, je me rendais chez mes clients collecter l'argent des journaux livrés, puis je le rangeais dans un bol dans le haut d'une armoire de la cuisine. Quand le responsable venait me collecter, je récupérais mon bol et le payais. Le reste m'appartenait. Ainsi, j'accumulais de l'argent au fil des mois pour m'acheter ce qui me faisait plaisir. Un jour, quand le collecteur se présenta, je constatai que mon bol était vide. Quelqu'un chez moi avait volé tout mon argent. Comme je ne pus payer le collecteur, je perdis mon emploi sur-le-champ. Encore aujourd'hui, j'ignore qui est l'auteur de ce vol, mais, depuis ce jour, j'ai toujours dépensé toutes mes payes afin d'être sûr que c'était bien moi qui les dépensais.

Mes heures de travail s'allongeaient après l'école et les fins de semaine. J'avais trouvé un autre emploi dans une petite épicerie. Je pesais les pommes de terre, les carottes et autres légumes pour les mettre dans des sacs de cinq, dix, vingt et cinquante livres. Je plaçais aussi les conserves sur les étagères, puis je balayais et nettoyais les planchers.

Le temps passait, je grandissais en force et en taille. Comme j'avais maintenant douze ans, je pouvais livrer les commandes d'épicerie à bicyclette pour un dépanneur de Saint-Michel. Je me remémore cette période comme un temps de douceur que je chéris toujours au fond de moi. Une journée d'hiver particulièrement froide, le propriétaire du dépanneur et sa femme attendirent mon retour après une livraison. Quand j'arrivai, ils s'empressèrent de me dire, avec un sourire plein de tendresse, que je pouvais venir boire le chocolat chaud qu'ils avaient préparé pour moi et prendre quelque chose à manger sur les étagères. N'importe quoi, des gâteaux, des fruits ou du chocolat. Cette invitation se répéta. Comme c'était bon de se sentir enfin estimé ! Ça faisait très chaud au cœur, encore plus que le chocolat chaud.

Un soir que je devais livrer une grosse commande très loin du dépanneur, le patron me demanda de placer les boîtes dans sa voiture en me disant qu'il allait me reconduire chez le client. À destination, il m'aida à monter les boîtes, en prenant les plus lourdes pour lui, et m'attendit dans la voiture pendant que je me faisais payer. Quand je retournai à la voiture, je voulus partager le pourboire avec lui puisqu'il avait fait le plus gros du travail et qu'on avait utilisé sa voiture mais, à ma grande surprise, il refusa. Je pouvais garder tout l'argent, disait-il, car c'était ma paye. Quel homme gentil et généreux !

Par contre, je me souviens d'une autre journée de livraison moins réjouissante. Je descendais les escaliers avec une caisse de vingt-quatre bouteilles de bière vides dans les mains lorsque deux garçons me bloquèrent le chemin. Un se tenait dans l'escalier, deux marches plus bas, et l'autre sur le palier à environ quatre à cinq pieds derrière son complice. Ils me dirent : « Si tu veux passer, il va falloir que tu nous donnes tout ton argent. » Sans prendre le temps de réfléchir, je lâchai alors la caisse de la main droite pour en tenir l'autre bout de la main gauche. Puis je fis pivoter la caisse au-dessus de ma tête pour l'asséner de toutes mes forces sur la tête du garçon le plus près de moi. La caisse s'éventra et toutes les bouteilles se fracassèrent dans les marches et sur le garçon, qui s'était écroulé sous le choc. Il ne bougeait plus. Je ramassai alors un gros tesson de bouteille puis courus après son complice en lui criant que j'allais le tuer. Heureusement, je ne réussis pas à le rattraper.

Revenu au dépanneur, j'expliquai à mon patron ce qui venait de m'arriver. Il téléphona à la police et je dus raconter mon histoire. Les policiers se rendirent sur les lieux de l'agression et, à leur retour, me dirent qu'il n'y avait plus personne. Ils avaient cependant trouvé beaucoup de bouteilles cassées et un peu de sang dans l'escalier. Je me doute bien pourquoi je ne revis plus jamais ces vauriens.

De retour à la maison, je racontai ma mésaventure à mes parents. Aussitôt, mon père se mit à crier en me disant qu'il avait un poignard pour la chasse et qu'il allait me le prêter pour travailler. Puis il déclara : « Tu vas le prendre avec toi, et la prochaine fois que quelqu'un t'attaquera, prends le couteau et tue-le côlice ! » Je refusai, même si je dus réfléchir quelques secondes avant de répondre. Je vous raconte cette anecdote pour illustrer la façon tordue dont mon père pensait, toute la violence qu'il portait et porte encore en lui. Comme il doit être malheureux ! Pour rien au monde je ne changerais de place avec lui.

CHAPITRE HUIT

L'été de mes treize ans, j'allai dans les Cantons de l'Est avec toute la famille. Mon père avait hérité du sien d'un bout de terrain situé près d'un lac, dans son village natal. Le terrain n'était pas défriché et l'endroit précis où mon père voulait construire la maison était un marais. Durant quelques étés, nous avons campé dans une tente jusqu'à ce que les fondations et le rez-de-chaussée de l'habitation soient mis en place. Puis, nous sommes ensuite restés dans le sous-sol pendant une partie des travaux. Avant tout, il fallait donc préparer le terrain. Encore une fois, mon frère Claude et moi avons travaillé très fort avec notre père pour pelleter l'équivalent de plus de cinquante camions de dix roues remplis de terre. À l'aide d'une brouette, nous transportions la terre sur des poutres étroites placées bout à bout sur une distance d'environ cinquante pieds, jusqu'à un trou plus bas que le niveau du lac. C'était l'endroit précis où la maison devait être bâtie.

À cette époque, mon frère et moi ne comprenions pas pourquoi il nous fallait transporter toute cette terre jusqu'au bout du terrain au lieu de l'étendre là où le camion l'avait déversée. Nous aurions pu avancer au fur et à mesure que l'on égalisait le terrain. Cela aurait été beaucoup plus rapide et facile mais, comme nous n'avions pas le droit de parler ou même d'émettre une opinion, nous gardions le silence afin d'éviter de contrarier notre père pour nous éviter des insultes et des coups.

Notre lopin était situé juste à côté d'un terrain de camping, de l'autre côté de la clôture, à environ cinquante pieds. Chaque fois que nous cessions de travailler pour regarder en direction du lac et observer les autres enfants qui se baignaient, notre père nous rappelait à l'ordre en nous disant que le travail se passait ici et non en direction du lac.

En fait, nous étions traités comme de vrais esclaves. Non seulement nous n'avions pas le droit de nous baigner, mais il nous était défendu de jeter un œil en direction du lac parce que, disait-il, cela ralentissait le travail.

Vers l'âge de dix ans, j'eus l'occasion de travailler à la ferme de mon grand-père paternel. À l'époque, toute la famille demeurait dans la maison familiale, et j'aimais donner un coup de main puis observer comment les autres travaillaient. J'étais fasciné parce qu'ils utilisaient encore les chevaux. Mon grand-père, en effet, avait peur des tracteurs, affirmant que c'était un outil du diable. C'était comme si j'avais voyagé dans le temps. Après le décès de mon grand-père, mon oncle Réal, le frère de mon père, hérita de la ferme familiale et en profita pour la moderniser. Il acheta un tracteur et de la machinerie adaptée, ce qui lui permit de travailler plus vite et plus facilement.

Je continuai de travailler à la ferme. J'y mettais tout mon cœur, non pas parce que mon oncle exigeait beaucoup d'efforts de ma part, mais parce que je voulais être certain qu'il me garde tout l'été et veuille bien me reprendre les étés suivants. Évidemment, je préférais travailler là où je me sentais aimé, respecté, estimé et libre.

Sans compter qu'à la ferme, j'avais le droit de m'amuser avec mes cousins et que je n'avais plus à craindre les punitions et les coups.

J'eus la chance d'apprendre à traire les vaches à la main et, quelques années plus tard, à l'aide des trayeuses mécaniques. J'appris aussi à manier le « broque » (fourche à trois pointes utilisée pour faire la récolte), à faire les foins, à conduire un tracteur avec la machinerie agricole, à cueillir les œufs frais sous les poules, à nourrir les cochons et les veaux, puis à étendre le fumier avec le tracteur. D'abord et avant tout, cette belle période contribua à me donner davantage confiance en moi, à côtoyer les bêtes de la ferme (j'adore tous les animaux) et à me sentir traité comme un être libre et non comme un esclave.

Du coup, j'apprenais à mieux connaître mes cousins. En plus de travailler en équipe, nous passions beaucoup de temps à nous amuser et à sortir, après notre journée de travail. J'y retournai tous les étés suivants jusqu'à ce que j'abandonne l'école, à seize ans.

Lorsque nous avions fini de remplir le chargement de foin, mon oncle conduisait le tracteur en direction de la grange. On s'asseyait, mes cousins et moi, sur le tas de foin pour nous tirailler et essayer de nous faire glisser les uns les autres. Croyez-moi, chaque fois que je tombais – et cela se produisait plus souvent qu'à mon tour – je surveillais bien plus les bouses de vache dans le sentier que la façon dont j'allais atterrir.

Quand nous avions pris de l'avance sur notre travail ou qu'il pleuvait, nous nous amusions dans la grange à faire des combats de pommes tout en nous cachant dans le foin. On se promenait d'une « tasserie » (partie de la grange où l'on entasse le foin) à l'autre, à la façon de Tarzan, en utilisant des cordes que mes cousins avaient installées à cette fin. Dans la grange, on grimpait le plus haut possible, puis on se laissait tomber dans le foin qui se trouvait à trente pieds dessous. Un autre jeu consistait à attacher une corde en diagonale d'un mur à un autre avec une poulie, puis on se laissait descendre en s'y accrochant solidement. En partant d'aussi haut, on descendait très vite. Quels plaisirs inoubliables j'ai connus avec mes cousins !

Par ailleurs, mon cousin Marquis avait acheté une vieille voiture (Ford Météore 1968) pour se promener dans les champs. On l'utilisait parfois pour aller chercher les vaches, mais il nous arrivait surtout de nous en servir pour nous amuser. Par exemple, on s'asseyait sur le capot en se tenant solidement aux essuie-glaces pendant que la voiture roulait dans les champs. Nous roulions vite en faisant des manœuvres de dérapage. Du reste, nous avons vite mis fin à ce jeu dangereux. Nous avions aussi une carabine de calibre 22 pour chasser les siffleux (chiens de prairies), parce qu'ils faisaient des trous énormes avec de gros monticules de terre, ce qui abîmait la machinerie agricole. Nous étions plutôt casse-cous…

Une expérience inoubliable me revient à l'esprit. Un soir, mon oncle nous demanda, à mon cousin et à moi, de lui donner un coup de main. Trois de ses truies, en effet, mettraient bas en même temps. Pour nous aider à passer la nuit, nous avions des provisions : croustilles, chocolats, liqueurs douces et bonbons de toutes sortes. Pour ceux qui l'ignorent, une truie peut porter douze petits, voire plus. Imaginez le travail lorsque trois truies ont leurs petits au même moment ! Cela dura toute la nuit.

Mon cousin et moi devions aider les truies dans leur travail. Cela n'est pas facile quand on sait qu'il faut insérer le bras jusqu'au coude et parfois plus loin à l'intérieur de la truie pour aller chercher les petits un à un. Malheureusement, par manque d'expérience et par grande nervosité, je tuai le premier cochonnet en le tirant par la tête pour le sortir. Par la suite, mon cousin m'expliqua comment procéder pour ne plus qu'un tel incident se reproduise.

Nous devions surtout ne pas oublier de mettre les cochonnets dans un petit enclos aménagé à l'intérieur même de la porcherie, afin que la truie n'écrase pas ses petits en se couchant. Une fois, je dus même donner la respiration artificielle à un pauvre cochonnet. Je ne lui fis tout de même pas le bouche-à-bouche, rassurez-vous ! La façon de procéder consiste à tenir l'animal dans une main, en le tournant sur le dos, puis de placer le pouce et l'index de chaque côté d'une de ses pattes avant. Il s'agit ensuite de faire bouger la patte de gauche à droite rapidement en faisant attention de ne pas le blesser, tout en surveillant sa respiration. Quand un petit était réanimé, on devait faire la même chose avec tous les autres petits, les frotter tout de suite sur le dos de sa mère pour qu'elle les reconnaisse à leur odeur. Je comprenais le privilège de contribuer à ramener à la vie un petit être créé par Dieu. J'en étais tellement touché que j'en avais les larmes aux yeux. Sans le montrer toutefois, car, même jeune, on a son orgueil…

J'avais quatorze ans lorsque nous avons déménagé à Saint-Paul-L'Hermite (aujourd'hui Le Gardeur). Je dénichai rapidement du travail comme planteur au salon de quilles de la ville. Je m'y rendais après l'école, cinq soirs par semaine, et j'y travaillai deux ans, jusqu'à ce que je quitte l'école.

Tous les samedis, je retournais au salon de quilles. Comme les propriétaires laissaient jouer gratuitement les employés, nos seuls frais étaient le dix sous de la partie que l'on devait verser au planteur. Je profitais de cette occasion pour avoir du plaisir avec mes collègues de travail. Une fois, j'ai voulu tenter l'expérience de jouer en solo une partie en moins d'une minute. Je disposais de deux allées, et un planteur comptait mes points. Je réussis à jouer cette partie sous la barre de la minute. C'était vraiment fou, mais tellement défoulant !

J'aimais surtout quand un des deux propriétaires du salon de quilles jouait avec moi. C'était un très bon joueur, très expérimenté. Sa moyenne dépassait les deux cent vingt-cinq points et il comptait quelques parties parfaites dans sa carrière. Chaque fois qu'il m'accompagnait, il me donnait toujours de bons conseils pour améliorer mon score. Un vrai père. Cela comptait plus que tout pour moi. Encore une fois, on me traitait avec gentillesse et respect.

La deuxième année, tous les planteurs firent la grève pour obtenir une augmentation de salaire de cinq sous de plus de la partie. Après de longues négociations, nous avons obtenu gain de cause. Il n'est pas étonnant que mes notes d'école demeuraient toujours très basses, étant donné tout le temps investi dans mon travail durant toutes ces années. Il ne m'en restait plus pour étudier et faire mes devoirs.

À seize ans, je me rendis à Montréal avec mon frère Claude pour y chercher du travail. Le but de ma démarche était de trouver un moyen de quitter la maison et de décrocher de l'école puisque je n'attendais plus rien ni de l'un ni de l'autre. Je garde cependant d'excellents souvenirs de ma dernière année scolaire à la Polyvalente Paul-Arsenau, à L'Assomption, amicalement surnommée « la P.P.A. ». Je faisais partie d'un groupe d'environ huit élèves qui formaient le comité étudiant de l'école pour l'organisation des activités parascolaires. Je collaborais également à la radio étudiante, à laquelle j'avais intégré un peu d'humour en faisant tourner les disques des Cyniques. Nous avions toute la collection et, à une histoire par jour, je pouvais couvrir plusieurs semaines avec le même enregistrement. Ainsi, j'eus le plaisir de faire rire les élèves presque tout au long de l'année pendant le dîner. Le succès fut tel que les élèves accouraient à l'agora en grand nombre pour entendre l'histoire du jour. Je fus particulièrement touché lorsqu'un professeur me proposa d'animer le spectacle de Noël. L'animateur pressenti s'étant désisté moins de deux semaines avant le spectacle, les organisateurs s'employaient activement, en effet, à trouver un remplaçant.

J'ignore pourquoi j'acceptai de relever ce défi, d'autant plus que je n'avais aucune expérience dans ce domaine. Il faut dire que le professeur se montra bien convaincant… Le plus rapidement possible, je devais apprendre mon texte, connaître l'ordre des participants et tout cela en ayant l'air parfaitement calme. Plus le grand jour approchait, plus la panique s'installait en moi. Le jour même, je faisais les cent pas derrière le rideau lorsque, par nervosité, j'oubliai soudainement tout mon texte. Que faire ? Je n'avais pas le choix, il me faudrait improviser, mais le pouvais-je ? Je tournais en rond, les mains moites. L'unique chose dont je me souvenais était le nom du premier participant. Je tremblais. J'avais envie de fuir en courant lorsque le rideau s'ouvrit et que je me retrouvai devant un auditoire de plus de cinq cents étudiants. Je commençai par me présenter ainsi que ma coanimatrice puis, tout d'un coup, plus de stress ! Les mots venaient tous seuls, la peur et les crampes au ventre avaient disparu. Je ne me souvenais toujours pas de mon texte, mais peu importe : j'improvisais et personne ne s'en rendait compte.

Je venais tout juste de sortir de scène après le premier numéro, lorsqu'on m'annonça que je devais étirer le temps, les prochains participants n'étant pas prêts pour le numéro suivant. Eh bien, aussi surprenant que cela puisse sembler, je revins sur scène avec plaisir. J'étais même enchanté. À la fin du spectacle, les applaudissements pleuvaient de partout, et je reçus des félicitations de tous les professeurs ainsi que du directeur. Bref, ce fut mon baptême de la scène, un grand succès, et une belle expérience à vivre.

Peu après, une grève des professeurs se déclara. Ils se rendaient en classe mais ne donnaient plus de cours et ne corrigeaient plus rien. L'année était fichue, mais je ne pensais qu'aux appels que j'attendais avec impatience à la suite de mes démarches d'emploi. Je rêvais de ce départ avec joie, mais il fut assombri par une triste nouvelle, je dirais même un autre coup très difficile à accepter.

Quelques années plus tôt, je sortais avec une jeune fille qui se prénommait Ida. Je l'aimais et je l'estimais vraiment beaucoup. Nous avions rompu depuis peu, mais je désirais la reconquérir, ce qui m'avait été impossible à cause de la distance entre nous après le déménagement. Lorsque j'avais posé des candidatures pour travailler à Montréal, je m'étais promis de la revoir, une fois installé en ville, et avais caressé l'espoir de la fréquenter à nouveau.

Un soir que je n'oublierai jamais, le 2 mars 1976, j'étais à la maison quand mon frère me retrouva au salon, un journal à la main. Il me demanda : « Daniel, es-tu au courant qu'Ida est morte ? » Je sentis mon sang figer dans mes veines. Je tournai la tête vers mon frère pour lui dire que, si c'était une blague, je ne trouvais pas ça drôle du tout. Ne connaissait-il pas mes sentiments amoureux pour Ida ? Il me tendit alors le journal pour que je prenne moi-même connaissance de l'article. Tout tremblant, lisant, je constatai avec horreur que c'était bien vrai. Ida était morte, tuée à coups de hache pendant la nuit par un déséquilibré mental, dans la maison familiale.

Au même moment, le téléphone sonna. La compagnie de chaussures que j'avais sollicitée quelques semaines auparavant m'appelait pour savoir si je souhaitais toujours obtenir l'emploi. J'hésitai un moment avant de répondre tant j'étais sous le choc après l'annonce de la mort d'Ida. Puis, j'acceptai. Je n'avais pas oublié que ce travail représentait mon billet vers la liberté. C'est ainsi que je me retrouvai à Montréal dès le lendemain matin pour y travailler.

Dès ma première journée, le patron me demanda si mon frère Claude, qui avait également posé sa candidature, était encore à la recherche d'un travail. Je répondis par l'affirmative et, le lendemain, mon frère commença à travailler pour cette compagnie. J'y travaillai dix-neuf mois et mon frère resta encore quelques années après mon départ.

Comme nous n'avions pas les moyens de louer un appartement meublé, nous demeurions chez tante Rita, que l'on ne voyait pas souvent, mais qu'on aimait beaucoup. Cela nous permit de nous rapprocher d'elle. Elle était très gentille et avait de petites attentions pour nous. Malgré un faible revenu, et même si elle ne disposait pas d'une chambre d'invité, elle avait accepté de nous loger chez elle. Plus nous apprenions à la connaître, plus notre amour grandissait pour cette adorable tante.

Le divan étant trop court pour moi, je dus le céder à mon frère, plus petit, et je dormis par terre dans le salon, sur un sol de bois franc. Je ne m'en suis jamais plaint. J'étais heureux parce que je me sentais comme un prisonnier tout juste libéré après seize longues années de prison. Je vécus chez tante Rita dix-neuf mois.

À mes dix-huit ans, me trouvant momentanément sans emploi, je dus me résigner à retourner vivre chez mes parents quelques mois mais, Dieu merci, ce fut la dernière fois.

Durant cette période, j'acquis une voiture, ma toute première ! Un bon matin, alors que je rendais visite à un ami, je remarquai en effet la voiture de son voisin (une Plymouth Belvédère 1967) que ce dernier avait l'intention de mener sous peu « au cimetière de voitures ». En l'examinant, le coup de foudre fut immédiat. Je demandai donc à son propriétaire s'il acceptait de me la vendre. C'était possible, à condition que je la prenne telle quelle. Il me la céda pour vingt-cinq dollars, somme que le ferrailleur lui aurait donnée. Après avoir pris possession de cette voiture en toute connaissance de cause, je déboursai deux cent cinquante dollars pour acheter une autre voiture (accidentée) afin d'en récupérer les pièces nécessaires pour réparer ma belle Belvédère. Je refis également moi-même toute la carrosserie puis la repeignis en noir, au pinceau. Mon ami et moi passions toutes nos fins de semaine à effectuer ces réparations. Je n'avais pas terminé de réparer ma voiture lorsque je trouvai un nouvel emploi.

Mon frère Yves, qui avait deux ans et demi de moins que moi, voulait nous aider à réparer la Plymouth. Un coup de main étant toujours le bienvenu, nous avons profité de son aide pour travailler toute la journée, jusqu'à tard le soir. Pour cette raison, un soir, on décida de dormir chez mon ami pour ne pas perdre de temps en transport et être sur place dès le lendemain matin, puisqu'il demeurait à Charlemagne, le village voisin.

Le soir suivant, après une autre longue journée de travail, mon frère et moi sommes retournés à la maison. En entrant, je remarquai un couple d'amis de mes parents avec leur enfant, un jeune garçon d'environ dix ans. J'eus à peine le temps de refermer la porte que mon père se mit à m'engueuler. Il criait que je n'avais pas à entraîner mon jeune frère dans mes expériences de « tapette ». Eh oui ! À ses yeux, j'avais forcément le profil homosexuel puisque j'avais osé coucher chez mon ami. J'avais même, affirmait-il, osé entraîner mon jeune frère dans un trip à trois pour le « contaminer de cette dangereuse maladie contagieuse et incurable » ! J'étais hors de moi, mais je me disais : « Comment une personne peut-elle être à la fois aussi cruelle et stupide ? » J'étais tellement surpris que j'en restai bouche bée. Même si aucun son ne sortait de ma bouche, je sentais une rage immense s'installer en moi, telle une marmite sur le point d'exploser.

Constatant que la simple perspective de l'homosexualité le perturbait à ce point, l'idée me vint d'entrer en relation avec un homme pour déranger mon père encore plus. Même si je ne pus aller au bout de cette expérience, je dois avouer que ce fut très pénible puisque je n'éprouvais aucune attirance envers les hommes. Par la suite, je me dis que si j'avais échoué à prouver à mon père que j'étais homosexuel, du moins j'avais réussi à le laisser dans le doute. Étrangement, pour renforcer cette idée, je décidai qu'il ne me verrait jamais plus accompagné d'une femme. C'est ainsi que je commençai un long célibat, juste pour le perturber, lui faire du mal et l'humilier, même si je n'habitais même plus chez lui. Je comprends aujourd'hui tout ce que la colère et la détresse peuvent nous pousser à faire comme stupidités. Que c'est triste.

CHAPITRE NEUF

Après quelques mois sans travail, je dénichai enfin un nouvel emploi mieux rémunéré chez Grissol Food. Je fus en mesure de louer mon premier appartement, avec mon frère Claude, et de terminer les réparations sur ma Plymouth. Quelques mois plus tard, je découvrais la drogue. Je devins rapidement un consommateur régulier, de cinq à sept jours par semaine. L'alcool, la drogue, ou les deux en même temps, devinrent le moyen de m'évader de mon quotidien.

Chaque fois que je prenais une bière, cela m'incitait à en boire davantage et, parfois, j'y ajoutais des alcools plus forts. Un peu plus tard, je commençais à me sentir très détendu mais, avec toute cette consommation, je me rendais malade ou, le lendemain, j'avais une terrible gueule de bois. Cela rendait le lever difficile quand il me fallait aller au travail. Je m'étais aussi mis à fumer des joints de marijuana et de haschisch car « le feeling » commençait immédiatement après quelques inhalations. Au début, je fumais un joint après le souper, et je me couchais « gelé ». Quelques mois plus tard, je devais en fumer deux pour ressentir le même effet toute la soirée. Plus tard, j'en étais à en fumer plusieurs par soir pour ressentir un « buzz » suffisamment long pour me rendre jusqu'au coucher. Les fins de semaine, je buvais et fumais souvent pour m'étourdir, pour oublier ma vie. Au fil des ans, j'ajoutai à ces habitudes toutes sortes de nouvelles drogues, dont des drogues dures.

À la même époque, je rencontrai chez tante Marie un de leurs bons amis. À la fin de la soirée, nous avons passé presque toute la nuit à discuter, assis à la table de cuisine en continuant de boire de la bière. J'ignore si c'est l'alcool ou son attitude qui réussit à me mettre en confiance mais, pour la première fois de ma vie, j'arrivai à confier à quelqu'un une partie des angoisses qui me torturaient continuellement. Je lui fis part de mes états d'âme, de ma tristesse, de mon grand découragement, et lui en expliquai la cause, sans toutefois lui parler de mon projet de suicide que je gardais très bien caché.

La semaine suivante, j'éprouvai un grand soulagement et une légèreté incroyable. Je n'avais pas ressenti cela depuis des années. J'en ignorais la raison mais, si j'avais pris le temps de réfléchir, au lieu de me replonger dans l'alcool et la drogue, j'aurais sûrement compris que le simple fait d'avoir extériorisé une partie du mal intérieur qui me rongeait depuis si longtemps expliquait tout. Par la suite, j'aurais probablement trouvé le moyen de discuter à nouveau avec cet homme, ou même avec un psychologue, ce qui m'aurait fait le plus grand bien. Je me serais évité ainsi bien des difficultés, et la sérénité serait venue beaucoup plus tôt dans ma vie. De là l'importance de partager nos peurs et nos angoisses avec une personne en qui nous avons confiance. Voltaire n'a-t-il pas écrit : « L'oreille est le chemin du cœur » ?

En 1982, à vingt-trois ans, j'achetai une motocyclette 650 cc, BSA, une marque anglaise. Une journée où ça n'allait pas, j'enfourchai ma moto et partis à toute vitesse de la maison. Je pris la direction de l'autoroute, tout en espérant qu'un obstacle se présente devant moi. J'étais décidé à ne ralentir sous aucune considération en espérant me tuer quand, soudainement, ma moto se mit à avoir des ratés et à ralentir sans aucune raison apparente. Arrivé de peine et de misère au poste de péage, je roulais à 30 km heure. Je venais d'immobiliser ma moto pour payer mon passage lorsque je me retrouvai au milieu d'une épaisse fumée. Je descendis immédiatement pour constater que tout le réseau de fils était en feu. Je n'y comprenais rien puisque je gardais toujours ma moto en ordre, et que je n'avais jamais eu de problème technique. C'était à croire que Dieu n'était pas prêt à me recevoir aussi tôt, et qu'Il avait d'autres projets pour moi... Cet incident me laissa très songeur.

Chemin faisant, je téléphonai à mon amie de cœur car, vous l'aurez deviné, le célibat ne dura qu'un temps... En effet, je finis par comprendre que la seule personne qui perdait à vouloir garder mon père dans le doute, c'était moi. Cela me prit tout de même cinq ans avant d'être moins en colère contre lui, de comprendre la situation et de me décider à laisser entrer à nouveau une femme dans ma vie. On dit que la chair est faible, mais c'est surtout la solitude qui est très lourde à porter quand on est malheureux.

Les années suivantes furent un peu floues parce que je consommais de plus en plus. Cette dépendance se prolongea jusqu'à ce qu'un nouvel incident influence ma vie de façon étonnante alors que j'avais vingt-quatre ou vingt-cinq ans.

Je marchais pour me rendre chez un ami, lorsque, arrivé devant son immeuble, l'idée me vint de monter les marches d'escalier des deux étages deux par deux, en courant, comme lorsque j'étais tout jeune. Ce que je fis, sauf que je me retrouvai les deux mains sur la rampe d'escalier, complètement à bout de souffle. Mes jambes tremblaient tellement que je pensai tomber. Je ne pouvais plus respirer tant j'avais mal aux poumons. Tout était embrouillé autour de moi et je voyais partout des points lumineux. Cet instant me parut durer une éternité puis je crachai du sang. J'eus l'impression qu'ainsi se « débloquaient » mes poumons. Je parvins à respirer un peu plus facilement environ trente secondes plus tard. Immédiatement après, tout en retrouvant mon calme et en regardant le sang par terre, je me fis cette réflexion : « Eh bien, Daniel, tu es devenu comme tes chums… » Il ne s'agissait pas d'amis, mais plutôt de compagnons de beuverie et de drogue. Un soir, l'un d'entre eux me demanda si j'étais avec eux seulement pour fumer et boire, ou pour leur compagnie. Sa question me fit comprendre que j'étais très souvent seul dans mon coin, envahi par mes pensées. Je ne m'amusais pas avec les autres. Je savais qu'il avait parfaitement raison de me poser cette question mais je ne pouvais rien répliquer.

Alors des images de mon passé envahirent mon esprit, aussi claires que si j'avais regardé la télévision. Je revoyais des scènes où j'apparaissais, avachi dans un coin, ayant uriné dans mon pantalon parce que j'étais trop ivre ou trop drogué pour me rendre aux toilettes, ou tout simplement parce que je ne me rendais même pas compte du besoin naturel que je ressentais. Me vinrent aussi à l'esprit des images qui me montraient dès le réveil encore couché dans mon vomi séché. Quelle déchéance ! Dire que je vivais ainsi depuis des années et que cette situation me semblait tout à fait normale… Il aura fallu que je me voie dans cet état pour enfin être bouleversé, choqué et écœuré. Ainsi, j'étais aussi esclave, sinon plus que mes chums, qui me semblaient être aux prises avec de graves problèmes de consommation.

Je voulais mourir, oui, mais pas de cette manière. Quand je compris, « dans ma tête seulement », qu'il me semblait qu'hier j'avais à peine seize ans, je ne voulus surtout pas me réveiller à cinquante ou à soixante ans pour constater que non seulement je n'avais rien fait de ma vie, mais que j'avais même raté mon suicide par manque de lucidité.

Il fallait donc que je me refasse une réputation. Dans mon projet de suicide, j'avais décidé de laisser une lettre expliquant les raisons de mon geste fatal, dénonçant ainsi tout ce que mon père m'avait fait subir. Ceux qui la liraient ne devaient pas avoir l'impression que ces mots avaient jailli de l'esprit troublé d'un alcoolique et d'un drogué.

C'est avec ces images d'horreur dans la tête, que, de retour chez moi, je jetai toute la drogue et les cigarettes que je possédais en me disant : « Daniel, tu as jusqu'à maintenant vécu pendant plusieurs années avec trois vices : la cigarette, l'alcool et la drogue. Maintenant c'est fini. À compter d'aujourd'hui, tu vas les remplacer par trois disciplines : la natation, la course à pied et la bicyclette. »

Je choisis ces trois disciplines car je pouvais les exercer seul. Je désirais surtout ne jamais devoir compter sur qui que ce soit pour m'accompagner. De plus, comme je m'étais fixé une date limite pour me suicider, il n'y avait pas de temps à perdre. J'avais décidé de mourir avant le jour de mes trente ans. Le compte à rebours était commencé : il me restait au maximum cinq ans à vivre.

C'est ainsi que je commençai à m'entraîner. Quand je parle « d'entraînement », ce n'était pas athlétique, loin de là ! Je me rendais au gymnase près de chez moi. Il y avait une piscine d'environ trente pieds de longueur. Un peu comme dans certains films d'horreur, j'avais l'impression, quand je nageais, de me retrouver dans un long corridor avec une porte tout au bout, très, très loin. Vous savez, le genre de film qui nous montre une personne avançant dans un couloir qui s'allonge constamment. La personne tente d'atteindre la porte tout au fond mais n'y arrive jamais. C'était exactement comme cela que je me sentais. Quand, enfin, je parvenais à l'autre extrémité de la piscine, j'agrippais le bord des deux mains comme si c'était une bouée de sauvetage et que ma vie en dépendait, le temps de reprendre mon souffle et de râler un bon coup. Ensuite, j'effectuais le retour avec autant de difficulté. Cela recommençait à chaque longueur, et j'en faisais six.

Ma performance n'était pas meilleure dans la course à pied. Je courais d'un coin de rue au suivant puis je marchais en râlant jusqu'à ce que mes jambes se mettent à trembler au point de fléchir. Sans compter que je continuais à cracher du sang. Je devais arrêter le temps de retrouver mon souffle et une vue plus claire. Je m'astreignis à ce dur apprentissage pendant quelques mois.

Quant à la bicyclette, j'avançais si lentement que le vent arrivait à peine à faire bouger mes cheveux. J'avais choisi un très court trajet sans pente parce que je n'avais pas l'énergie pour en faire plus.

Tout cela ne m'empêcha pas de persévérer, et je m'en félicitai puisque, au bout d'un an, je constatai une grande amélioration. Je ne crachais plus de sang, je ne râlais presque plus et je commençais enfin à avoir beaucoup plus d'énergie. Ainsi, j'augmentai même légèrement mes distances et mon temps d'entraînement.

Au bout d'un an, j'avais considérablement amélioré mes capacités. Au bout de trois, l'entraînement intensif était devenu ma nouvelle drogue. Je m'entraînais presque tous les jours. J'étais maintenant prêt pour un grand défi, et c'est ce qui me donna l'idée de m'entraîner pour faire la traversée du lac Saint-Jean à la nage.

À partir de ce jour, mon entraînement devint vraiment du temps complet. J'alternais nage et course à pied. Un jour, je nageais sur une distance de trois milles à la piscine du Stade olympique dans le sens de la largeur, puis j'ajoutais une longueur de piscine sous l'eau et deux autres en sprint. Le lendemain, je courais depuis le boulevard Jean-Talon, angle Décarie, jusqu'à Côte-des-Neiges, puis jusqu'au mont Royal. C'était très agréable puisque je me retrouvais dans la nature loin des murs de briques, des automobiles et de la pollution. Cela me permit d'augmenter un peu plus mon niveau de difficulté, puisque je courais en montagne. Au fil du parcours, je m'imaginais en train de parcourir la campagne en respirant de l'air pur.

Je poursuivais mon parcours jusqu'à l'Oratoire Saint-Joseph. Je m'y arrêtais quelques minutes pour regarder les marches d'escalier : il y en avait plus de deux cents ! Je me souviens du jour où je crus mourir en montant les escaliers chez cet ami qui demeurait au deuxième étage. D'un pas décidé, j'arrivais maintenant à grimper deux par deux les marches de l'Oratoire en courant sans arrêt jusqu'au sommet. Afin d'augmenter l'endurance des muscles de mes jambes, je portais aux chevilles des poids de cinq livres. Arrivé en haut, j'en profitais pour parler à Dieu et sortir le trop-plein que j'avais sur le cœur. Du coup, cela me permettait de reprendre mon souffle tout en admirant la vue magnifique que j'avais de cet endroit. Après cet instant de méditation, de repos et de contemplation, je revenais à la maison en marchant, de façon normale, pour un souper bien mérité.

De plus, tous les samedis, quand il faisait beau et même sous une faible pluie, je prenais ma bicyclette. Je partais encore une fois de Décarie et de la rue Jean-Talon, vers la rue Sherbrooke puis en direction de l'est jusqu'au bout de l'île de Montréal. Première récompense de la journée : j'arrêtais à la crèmerie Dairy Queen et je m'offrais une succulente *banana split* que je dégustais lentement. Deuxième récompense : sur le même site, je faisais quelques tours de *go-cart* pour relaxer, mais surtout pour me donner le droit de m'amuser. Je profitais ainsi d'un nouveau plaisir étant donné que je travaillais depuis mon tout jeune âge.

Après ces bons moments de satisfaction, je reprenais la route en passant par Repentigny, Ville Le Gardeur et Charlemagne. Par la suite je retraversais le pont vers Montréal, pédalais du boulevard Henri-Bourassa jusqu'à Ville Saint-Laurent et, enfin, en direction de la maison.

Même si j'avais un très bon coup de pédale et que j'arrivais à suivre les automobiles, cela totalisait plus de six heures de randonnée. Cela prouve que rien n'est impossible quand on **décide réellement** d'atteindre un ou plusieurs buts. Peu importe l'importance et l'ampleur de nos objectifs et de nos rêves.

Je réussis à me refaire une réputation. Je pouvais donc remettre mon projet de suicide à exécution. Impossible, cette fois, de rater mon coup : mon plan était rodé jusqu'au moindre détail. Entretemps, j'étais devenu élève en parachutisme, et il ne me restait que deux sauts à faire pour terminer le programme. Il faut préciser qu'un parachute d'élève dispose d'un mécanisme qui s'ouvre automatiquement à une altitude d'environ trois mille pieds, même si l'élève ne le désire pas. Un parachute régulier, lui, ne possède pas ce genre de dispositif. Cela permet d'alléger le sac et d'ouvrir le parachute à l'altitude souhaitée. On peut même ne pas ouvrir son parachute, si on le désire…

Une fois mon cours terminé, je pourrais sauter sans instructeur avec un parachute régulier. Régulièrement, l'école vendait de l'équipement d'occasion sur le site. Je savais très bien qu'à un saut de neuf mille pieds, sans ouvrir mon parachute, je pourrais sans aucun doute mettre fin à mes jours.

J'avais rédigé ma lettre de suicide en deux exemplaires, au cas où la lettre que je porterais sur moi soit illisible lorsque la police récupérerait mon corps. L'autre copie se trouvait dans la boîte à gants de ma voiture. De cette façon, j'étais certain que mon message serait intact et lu en entier. Sauf que j'ignorais encore que la vie (ou Dieu) me réservait d'autres projets que je n'avais absolument pas prévus et qui entraveraient mon plan.

Le 4 août 1988, deux jours avant la date fixée de mon suicide, j'eus un grave accident de plongée sous-marine. Cela devait radicalement changer ma vie, et définitivement m'éloigner de la mort.

Depuis un an, avec mon frère Yves, je planifiais une expédition de plongée s'annonçant assez périlleuse. C'était dans une carrière abandonnée, en eau froide, à cent quatre-vingt-cinq pieds de profondeur (plusieurs plongeurs ne descendent pas sous la barre des cent pieds). Il fallait prévoir une plongée répétitive, avec des paliers de décompression établis d'avance et nécessitant un calcul très précis. Nous avons pris plus d'un an pour nous préparer afin d'obtenir et de retenir tous les renseignements nécessaires, et nous procurer l'équipement adéquat pour réussir.

Il fallait d'abord récupérer une voiture dans la carrière. Elle était, en quelque sorte, assise sur une pente abrupte, tout au fond de la cavité. Ce ne serait pas une sinécure. Le propriétaire désirait la sortir de l'eau parce qu'il avait ensemencé le lac de truites et avait l'impression, à juste titre, que la voiture le polluait. Ce mandat était très dangereux car les plongeurs risquaient de demeurer coincés à l'intérieur de la voiture et d'être attirés beaucoup plus profondément au fond de la carrière, à environ quatre cent cinquante pieds. Il faut savoir que la bouteille pressurisée du plongeur ne permet pas de descendre à plus de deux cent quatre-vingts pieds. Au-delà de cette profondeur, l'air devient toxique, et c'est la mort assurée. Ce danger fut ma première motivation. Je serais celui qui plongerait. De surcroît, ce projet avec mon frère devait être ma dernière aventure avec lui. Bien évidemment, mon frère n'était pas au courant de mes intentions suicidaires.

Lorsque je sortis de l'eau après la première plongée, je retirai mon équipement et m'assis sur une roche pour expliquer au propriétaire la bonne procédure à suivre. Au bout de dix minutes de conversation, il se passa quelque chose de très étrange. Mes propos étaient inintelligibles et entrecoupés. Je voulus alors me lever pour récupérer mon équipement et retourner dans l'eau mais, à ma grande surprise, je ne pus faire un pas, et je m'affalai de tout mon long par terre. J'ai alors compris que tout mon côté droit était paralysé. Sans compter que je n'arrivais plus à prononcer un seul mot. L'air ne passait presque plus dans ma trachée, et je ne pouvais plus respirer normalement. La sensation était la même que si j'avais couru une longue distance et que j'avais essayé de respirer avec une paille. Chaque respiration devenait de plus en plus difficile.

Je crus alors que mon heure était venue et que j'allais mourir de cette façon. Avec résignation, je me dit : « Moi qui pensais savoir quand et comment j'allais mourir, la vie vient de me jouer un drôle de tour : elle devance mon plan de deux jours… » Je repensai à mes lettres de suicide et me félicitai de les avoir rédigées. Comme tout semblait en place, j'étais prêt à partir, et je commençai à attendre la fin.

Quand il constata ce qui m'arrivait, l'homme avec qui j'étais en train de parler s'éloigna rapidement et revint quelques minutes plus tard, accompagné d'une ambulance. Les ambulanciers s'empressèrent de m'injecter un relaxant, puis m'attachèrent sur une civière pour me transporter à l'hôpital de toute urgence. Peu à peu, ma respiration redevint normale. Je retrouvai l'usage de la parole et de mon bras droit. Je me mis à croire que j'allais aussi récupérer l'usage de ma jambe droite. Peut-être en serais-je quitte pour une bonne peur ?

Je savais pertinemment, comme tout plongeur l'apprend dans ses cours, que lorsqu'un malaise se produit à la suite d'une plongée, il faut se rendre de toute urgence dans un hôpital où il y a une chambre de décompression. C'est donc en pleine connaissance de cause que je m'empressai d'annoncer au médecin que j'avais subi un accident de plongée sous-marine et que je devais être transféré dans une chambre « hyperbare » moins d'une heure après l'accident, pour éviter des séquelles permanentes. Celui-ci me répondit et je le cite : « C'est pas toi le médecin, alors ferme ta gueule et ne me dis pas quoi faire ! » Puis, il m'oublia pendant quelques heures.

En attendant mon transfert à l'hôpital Sacré-Cœur, les infirmières venaient me chercher pour différents examens. Quand toutes les radiographies furent terminées, je retournai sur la civière et je ne pus me lever car, moins d'une heure après, ma jambe gauche paralysait également. Ainsi, non seulement je ne retrouvais pas l'usage de ma jambe droite, mais je perdais également celui de la gauche. Tout mon côté gauche, pour être précis, était entièrement paralysé, depuis les membres inférieurs, de la poitrine aux orteils.

Plus de quatre heures après mon arrivée à l'hôpital, le médecin me fit savoir que j'allais donc être transféré à l'hôpital Sacré-Cœur de

Montréal, précisant qu'étant donné mon accident de plongée sous-marine, il fallait m'installer dans une chambre de décompression pour faire sortir l'air coincé à l'intérieur de ma colonne vertébrale et ainsi stopper la progression des dommages. Ce que je m'étais évertué à lui faire comprendre depuis mon arrivée à l'hôpital !

Moi qui croyais avoir tout prévu… J'étais paralysé, à l'hôpital, au lieu d'être enfin libéré de mon existence cauchemardesque. Comment m'étais-je retrouvé dans cette situation ? Je résume. Plus on descend en profondeur, plus la pression sur le corps augmente. Par conséquent, les gaz et les liquides dans le corps se trouvent de plus en plus compressés par la pression de l'eau, et les gaz accumulés dans les poumons se répandent partout dans le corps. Pour cette raison, après une plongée profonde, il faut absolument procéder à ce qu'on appelle « des paliers de décompression », afin de permettre à ces gaz de revenir dans les poumons avant de sortir normalement par les voies respiratoires. Mon erreur fut d'avoir effectué quatre minutes de paliers (comme cela était recommandé dans les tables de calcul US DIVERS). Malgré cela, j'ai paralysé.

Le médecin spécialiste de la chambre de décompression m'expliqua que ces tables habituellement fournies aux plongeurs ne sont pas exactes et sécuritaires. En fait, celles-ci furent établies en 1945, juste après la Seconde Guerre mondiale, et n'ont jamais été révisées. À cette époque, les connaissances en plongée sous-marine étaient encore très restreintes.

Malheureusement, j'appris trop tard que, selon les nouvelles tables, j'aurais dû faire dix-huit minutes de paliers au lieu de quatre. Ce renseignement, à l'époque, était inconnu du grand public. En effet, les nouvelles tables pour calculer les paliers de décompression furent mises sur le marché en 1990, soit deux ans après mon accident.

L'écart de quatorze minutes lors des paliers de décompression fit en sorte qu'une bulle d'air est demeurée coincée à l'intérieur de ma colonne vertébrale au niveau de la huitième dorsale. Quand je remontai, l'air prit de l'expansion avec la diminution de la pression, augmenta de volume et la multiplia sept fois. Cela écrasa tous les nerfs moteurs et les nerfs sensitifs, et détruisit la moelle épinière au niveau de cette vertèbre.

CHAPITRE DIX

À l'hôpital Sacré-Cœur, la chambre hyperbare était occupée parce que le premier médecin imbécile ne s'était pas assuré qu'elle soit libre à mon arrivée. Les médecins en profitèrent pour me faire passer d'autres examens. Quand mon tour vint enfin, je restai plus de quatre heures avec une femme médecin qui me prodigua des soins et me surveillait en permanence. Heureusement pour moi, parce que moins d'une heure après le début des traitements dans la chambre hyperbare, je ressentis une vive douleur dans le bas-ventre. Au point d'éprouver de la difficulté à respirer et à parler.

Quand je le dis au médecin, elle m'examina en me demandant si j'avais uriné au courant de la journée. Après lui avoir répondu que non, elle m'installa une sonde et remplit deux contenants d'urine quand normalement un seul suffit. Du coup, j'appris que j'allais devoir vivre avec une sonde permanente, sans savoir si un jour j'allais pouvoir m'en défaire.

Plus tard, en regardant par la petite fenêtre, j'aperçus ma sœur Claudette et mon frère Claude. Le simple fait de reconnaître des visages familiers et leurs sourires pleins d'amour me rassura énormément. Enfin, je ne me sentais plus seul dans cette galère.

Après plus de quatre heures dans la chambre hyperbare, je sortis enfin. Alors une autre crise de douleur intense se déclencha, accompagnée d'une grande difficulté à respirer. Les médecins s'occupèrent de moi de toute urgence jusqu'à ce qu'ils me stabilisent. Quelques jours plus tard, un médecin m'avoua que j'avais eu beaucoup de chance. Les médecins, en effet, avaient eu très peur de me perdre. Je ne sus jamais ce qui s'était passé et ne cherchai pas à le savoir.

Le lendemain, j'étais très ébranlé, anxieux et j'avais peur. Je me sentais dans le noir total avec, en tête, plusieurs questions sans réponse. Mon avenir plus que mon présent me terrifiait. Au moment où j'aurais eu le plus grand besoin de paroles réconfortantes pour me rassurer, mes parents me rendirent visite. Les premiers mots de mon père furent : « Veux-tu bien me dire qu'est-ce que t'avais d'affaire à aller jouer là, tabarnaque ? » Ce furent les seules paroles d'encouragement de sa part. Si j'avais pu, je me serais levé pour le secouer ou le frapper jusqu'à ce qu'il se taise.

Au cours des deux premiers jours de mon hospitalisation, n'ayant pu dormir une seule minute à cause du stress, je pleurais sans arrêt, blasphémais et devenais brusque et insupportable avec tout le personnel de l'hôpital, tout comme avec mes compagnons de chambre et mes visiteurs. Le jour même où j'avais prévu mourir, pour être enfin libre, je me retrouvais plongé dans un nouveau cauchemar, prisonnier de mon corps totalement inerte du thorax aux orteils.

CHAPITRE ONZE

Heureusement, je changeai d'attitude quand ma sœur Claudette vint me voir en compagnie de son fils, Jean-François, mon cher filleul de onze ans. Ce dernier s'approcha de mon lit, sortit une carte, me la tendit, puis sauta dans mes bras en pleurant. Tout en me serrant très fort, il me dit : « Je t'aime et je ne veux pas que tu restes paralysé. » Il voulait que je marche à nouveau, comme avant. Ma sœur, de son côté, se mit également à pleurer en me disant qu'elle m'aimait beaucoup et souhaitait de tout son cœur que je puisse marcher un jour.

Lorsque j'ouvris l'enveloppe de Jean-François, j'y trouvai le dessin d'une personne assise dans un fauteuil roulant avec un grand cercle rouge tracé tout autour et un trait diagonal traversant le cercle de haut en bas. Au verso, un homme était debout au centre d'un cercle mais sans barre transversale. De toute évidence, l'enfant désirait me faire comprendre qu'il n'acceptait pas l'idée que je reste pour toujours dans un fauteuil roulant.

Sur une autre feuille, il avait dessiné un plongeur remontant à la surface. Au bas de cette page, on pouvait lire en grosses lettres « *Keep out* ! », ce qui voulait tout dire. Dans la même enveloppe, se trouvait également une lettre dans laquelle il me disait à quel point il souffrait de me savoir paralysé. Je lus : « Daniel, je te souhaite de te rétablir le plus vite possible. Pourquoi ? C'est parce que je n'aime pas quand tu es comme ça. Je souhaite de te guérir le plus vite possible. Bye Bye. Signé Jean-François. »

C'était la première lettre d'amour que je recevais de toute ma vie, et je la conservai précieusement. Je la lus et la relus à plusieurs reprises, chaque fois que j'avais besoin d'encouragement, et Dieu sait à quel point j'en eus besoin. Je crus longtemps que Jean-François avait fait une faute en écrivant « Je souhaite **de te** guérir » mais, avec le temps, je compris que son amour m'avait donné la force de réaliser tout ce que j'ai accompli par la suite pour arriver à marcher à nouveau. Donc en réalité, il m'avait vraiment guéri.

Non seulement c'était la première fois que j'entendais quelqu'un me dire qu'il m'aimait, mais ils étaient deux à me le dire en pleurant à chaudes larmes. Quel choc ce fut pour moi ! Je venais de comprendre que si je m'étais suicidé, j'aurais perturbé gravement et peut-être même détruit au moins deux vies, celles de deux personnes que j'aime et pour qui je compte beaucoup. À partir de ce jour, je ne songeai plus jamais au suicide. Avec le temps, après avoir enlevé mes oeillères, je me rendis compte que plusieurs autres membres de la famille m'aimaient, et que j'avais des amis.

Je promis donc à mon filleul Jean-François et à sa mère que j'allais tout faire pour marcher à nouveau, parce que je voulais qu'ils retrouvent leur sourire. C'est ainsi que je me lançai dans ce défi. J'avais également compris qu'il me restait le choix de pleurer tout le reste de mes jours sur mon sort ou de me relever les manches, de me botter les fesses et de me battre pour marcher de nouveau, comme si ma vie, ainsi que celle de Jean-François et de Claudette, en dépendait.

Le grand pouvoir de l'amour commençait par conséquent à faire son œuvre. De façon toute naturelle, je commençai à me servir des mêmes outils qui m'avaient aidé quelques années auparavant à cesser de consommer et à me reprendre en main : **la visualisation**, le **ressenti**, la **confiance**, la **détermination** et la **persévérance**. Je pouvais maintenant y ajouter le plus puissant de tous : **l'amour**.

Quelques jours plus tard, un de mes cousins se rendit chez mon amie Denise, que je fréquentais à l'occasion pour faire du sport et assister à des spectacles et des concerts. Il lui annonça que je venais d'avoir un grave accident. Elle fut très touchée lorsqu'il ajouta que j'étais paralysé et que j'avais vraiment besoin d'aide et de soutien pour retrouver le moral.

À cette époque, Denise avait pris une année sabbatique et, depuis plusieurs mois, elle travaillait comme bénévole auprès des enfants de l'Hôpital Sainte-Justine. Après la visite de mon cousin, elle passa son temps bénévole auprès de moi. Tous les jours, elle me tenait compagnie à l'hôpital, et cela se poursuivit plus de deux mois, jusqu'à ce que sa mère tombe malade. Denise resta à ses côtés jusqu'à son décès, cinq mois plus tard.

Quand je fus placé en externe, nous avons repris contact. À partir de ce moment, notre amitié se transforma en amour. Depuis ce temps, non seulement nous ne nous sommes jamais laissés, mais nous nous sommes mariés après onze ans de vie commune. C'est le plus beau cadeau que la vie m'ait fait.

CHAPITRE DOUZE

À ma première visite en physiothérapie à l'hôpital du Sacré-Cœur, débordant de confiance et de détermination, je demandai à la physiothérapeute de me préparer un programme d'exercices personnalisé afin de m'aider au maximum à atteindre mon but : me lever et marcher. D'emblée, elle me fit savoir que le médecin avait rédigé une note dans mon dossier : il était strictement impossible que je puisse marcher à nouveau. Aussi, elle devait plutôt m'aider à réapprendre à fonctionner quotidiennement dans un fauteuil roulant.

En me remettant mon programme d'étirements et d'exercices de renforcement, elle me conseilla toutefois de ne pas me décourager parce que, parfois, disait-elle, il arrivait que des miracles se produisent chez certains patients. Elle insista : il était primordial que je commence à travailler activement dès maintenant puisque les premiers jours sont les plus critiques et les plus déterminants. Plus j'attendais, plus mes chances de récupération diminuaient.

Croyez-moi, je comprenais très bien l'ampleur et la gravité de ma situation. Lorsque la physiothérapeute me transféra de mon fauteuil à la table de physiothérapie, tout ce qu'elle me demanda de faire était de tenter de demeurer en position assise sans bouger, le dos droit et sans l'aide de mes bras. Après plusieurs tentatives, mon meilleur temps fut de trois secondes sans tomber sur le côté. Sinon, je glissais à la seconde même où je cessais de m'agripper au matelas. Je ressemblais à un mort qu'on aurait tenté d'asseoir sur une chaise sans dossier pour le faire tenir en place sans qu'il tombe.

J'avais si peu de tonus que la physiothérapeute suggéra de m'attacher au fauteuil roulant afin de m'empêcher de tomber. J'ai immédiatement refusé, fermement et très clairement, car je demeurais convaincu que cela m'empêcherait de travailler, de bouger librement et même, éventuellement, de marcher. Sur ces mots, je notai une grande satisfaction dans le regard de la physiothérapeute. De retour à ma chambre, je consultai sa liste d'exercices pour constater que je pourrais largement dépasser ses attentes. C'était un bon début, et cela me permettait de savoir comment organiser mes journées.

Avec ces nouvelles données, je commençai à modifier les exercices que je jugeais moins appropriés à mes besoins et à mes capacités. Tous les matins, je devais faire des étirements variés en m'asseyant sur le lit, le dos bien appuyé au mur afin d'être certain de ne pas tomber. Par la suite, je ramenais une jambe à la fois vers moi et devais tenter de plier chaque articulation des doigts de pied dix fois, puis de les tenir dix secondes chaque fois. Ensuite, je faisais la même chose avec les chevilles et les genoux.

Pour l'étape suivante, je devais faire pivoter le bas de mon corps dans un sens et le haut de mon corps dans le sens contraire, un peu comme une hélice d'avion. Cette série d'exercices prenait environ trente minutes. Cela me semblant insuffisant, je recommençais la série pendant encore trente minutes.

Après le petit-déjeuner, je me rendais en physiothérapie pour y travailler pendant une heure, et j'en profitais pour poser plusieurs questions sur tel ou tel exercice qui m'avait posé problème ou dont je n'étais pas satisfait. Je voulais des solutions satisfaisantes pour calmer mes inquiétudes.

Quand je revenais à ma chambre, alors, le vrai travail commençait. Dans un premier temps, je refusai de laisser qui que ce soit pousser mon fauteuil, de me servir ou de faire pour moi quoi que ce soit que je puisse faire moi-même. Je me disais que si je laissais quelqu'un le faire à ma place, je resterais assis pour toujours. En faisant avancer moi-même le fauteuil, je me sentais plus autonome, et totalement convaincu que j'allais m'en débarrasser un jour ou l'autre.

Je refusai également de façon catégorique qu'on fasse des photos ou des vidéos de moi assis dans un fauteuil roulant. J'étais absolument persuadé que j'allais marcher à nouveau sous peu et, sous aucun prétexte, je ne voulais conserver d'image de moi en handicapé.

Je me déplaçais également toujours rapidement. À tel point qu'il m'arrivait souvent que le personnel m'oblige à ralentir, car on craignait que je me blesse ou heurte quelqu'un. Chaque fois, je devais expliquer que je ne faisais pas cela pour déranger les patients ou le personnel, mais que je m'entraînais, toujours en pensant « sécurité d'abord ».

Voici un exercice que je pratiquais régulièrement dans tous mes déplacements : je penchais légèrement mon corps vers l'avant pour qu'il cherche à tomber sur mes cuisses. Ensuite, pour l'empêcher de tomber, au lieu de pousser avec mes mains sur les accoudoirs du fauteuil, je les appuyais sur les roues afin de redresser mon corps.

Plus mon corps penchait vers l'avant, plus je poussais sur les roues, et plus je poussais sur les roues, plus je me déplaçais rapidement.

Deux autres outils essentiels et efficaces étaient la **visualisation** et le **ressenti**. L'exercice consistait tout simplement à me concentrer pour visualiser et sentir tous les muscles de mon corps se contracter, dans le but d'arriver à me redresser en contractant mes muscles dorsaux et abdominaux pour ne plus tomber vers l'avant.

Évidemment, pour le moment, aucun muscle ne bougeait, et le haut de mon corps cherchait toujours à descendre vers mes cuisses. Chaque fois, je me disais que ce n'était qu'une question de temps avant que mes muscles abdominaux et dorsaux, tout comme mes jambes, en viennent à se contracter et à bouger. C'est pourquoi, sans le moindre doute, je me répétais continuellement cette phrase : « Ça ne fait rien. Si ce n'est pas aujourd'hui, ce sera peut-être demain, ou la semaine prochaine, ou le mois prochain. De toute façon, ce n'est qu'une question de temps. » Ma détermination de marcher un jour était inébranlable. Je la sentais et j'en étais convaincu jusque dans mes tripes. Sans oublier que j'avais la chance d'avoir un très bon entraîneur qui me poussait à aller toujours plus loin et de plus en plus fort en me répétant constamment : « Vas-y, Daniel, ne lâche pas ! J'ai confiance en toi, tu es capable de te donner plus que ça. Regarde-moi, je suis debout et je suis persuadé que toi aussi tu en es capable, si tu le décides. Tu peux venir me rejoindre et marcher toi aussi. Allez, lève-toi et viens me rejoindre, je t'attends ! » Cet entraîneur n'était nul autre que ma voix intérieure. Je l'entendais sans cesse pendant que je me visualisais, comme dans une image holographique, debout… Exactement comme je désirais être.

Mon programme incluait également des pompes (*push-up*) que je devais effectuer assis dans le fauteuil roulant en plaçant les mains sur les appuie-bras. Je devais ensuite relever mon corps lentement jusqu'à ce que j'aie les bras tendus, avant de redescendre le haut de mon corps lentement, en arrêtant juste avant de toucher le siège du fauteuil. Par la suite, je devais relever mon corps, garder les bras tendus et faire dix autres pompes en travaillant uniquement avec les épaules.

Ma physiothérapeute me conseillait de répéter cette série des pompes au moins cinq fois par jour. Vous vous doutez bien que j'ai trouvé cela insuffisant, sachant pertinemment que je pouvais donner beaucoup plus. C'est pourquoi j'y ai ajouté cent pompes avec les bras, et cent autres avec les épaules plus de dix fois par jour… Cela totalisait quotidiennement plus de mille pompes avec les bras, et plus de mille pompes avec les épaules. Quand on est extrémiste…

Je me consacrais à cette tâche à cent pour cent, tirant parti de chaque situation pour profiter au maximum des mouvements à effectuer. Par exemple, des transferts du fauteuil roulant au siège de la toilette, aux bancs, aux chaises, à la baignoire et au lit d'hôpital. Partout où je voyais un endroit pour me transférer, je sautais sur l'occasion.

Lorsque je fis, seul, mon premier transfert du fauteuil au lit, je compris que c'était le meilleur endroit pour pratiquer cet exercice sans me blesser. De plus, comme le lit était plus haut, cela m'obligeait à travailler plus fort. Heureusement, pour que je puisse me tenir plus solidement, on avait installé un trapèze (triangle en métal suspendu par une chaîne et relié à une barre de métal) au-dessus de mon lit.

Après un certain temps, je suis arrivé à hisser mon corps jusqu'aux fesses sur le matelas en laissant mes jambes pendre dans le vide. Tout en saisissant le trapèze de la main gauche et les barreaux du lit de la main droite, je continuais à visualiser et à me concentrer sur cette sensation : chaque muscle de mes jambes et de mes abdominaux se contractaient suffisamment pour faire monter mes jambes dans le lit sans que je les aide de mes mains. Bien entendu, en apparence, il ne se passait rien, pas un muscle ne bougeait. Malgré tout, sans m'autoriser le moindre doute, je me répétais sans cesse la même phrase : « Ça ne fait rien. Si ce n'est pas aujourd'hui, ce sera peut-être demain, ou la semaine prochaine, ou le mois prochain, de toute façon, ce n'est qu'une question de temps. » Encore une fois, je demeurais tout à fait persuadé, absolument convaincu, que mon corps finirait par bouger à nouveau. C'était tout ce qui comptait.

Plusieurs mésaventures assez cocasses se sont produites durant mon séjour à l'hôpital. Bien entendu, elles auraient pu me ralentir ou, pire encore, m'arrêter dans ma progression. Au lieu de cela, je dédramatisais l'épisode et le tournais en dérision. C'est pourquoi j'en ris encore quand j'y repense. Je songe par exemple à mon premier transfert du fauteuil au lit. Mon corps étant paralysé à partir de la huitième dorsale en descendant, je portais une sonde en permanence. J'avais oublié ce petit détail. Imaginez le tableau : je suis vêtu d'une robe d'hôpital, et muni d'une sonde reliée à un gros sac attaché sur le côté droit du fauteuil. Or, je suis allé me placer à gauche du fauteuil près du lit. Comme je ne désirais l'aide de personne, ni même de surveillance au cas où surviendrait un problème, je commençai seul mon transfert, le dos à moitié appuyé sur le lit, lorsque je compris que le tube relié à la sonde s'était étiré au maximum. Je ne pouvais donc ni monter vers le lit ni redescendre vers le fauteuil. Je savais très bien que si je tombais par terre, le tube serait tendu au point de se rompre avant même que je n'arrive au sol. Vous aurez compris que je ne voulais surtout pas que cela arrive…

Je n'eus que le choix que de demander à mon voisin de chambre d'appeler l'infirmière. Quand elle entra et qu'elle me vit contorsionné, à moitié dans le lit, la robe remontée jusqu'au nombril avec le tube de la sonde dangereusement tendu, elle paniqua et parla très vite en me grondant : « Monsieur Bureau, vous ne devez pas vous transférer tout seul, c'est trop dangereux ! Vous devez nous appeler pour que l'on vous aide à vous coucher ! » Je dois avouer que de me voir dans cette position, de regarder et d'entendre l'infirmière totalement affolée me fit rire intérieurement et discrètement. La situation était tout de même quelque peu embarrassante. Je répondis à l'infirmière que personne ne m'empêcherait de pratiquer mes transferts, puisqu'il s'agissait d'exercices pour m'aider à récupérer le contrôle et la force de mes jambes.

Je tins fermement mon point. Encore une fois, je refusai catégoriquement de me plier aux exigences du personnel hospitalier. Ce n'était pas facile pour l'équipe d'accepter ma détermination, surtout que j'avais déchiré mon sac à urine et laissé ma trace à la grandeur de l'étage quelques jours plus tôt, à force de le frotter sur la roue du fauteuil. Cela est sans mentionner d'autres aventures qui les avaient troublés. J'imagine qu'ils ont compris qu'ils ne pourraient jamais m'arrêter ou m'empêcher de faire des transferts un peu partout. Par la suite ils me proposèrent une autre solution : remplacer le gros sac encombrant de la sonde par un plus petit que je pouvais attacher au mollet, ce qui me permettrait d'être beaucoup plus libre dans mes déplacements et mouvements quotidiens. De plus, je pourrais enfin remplacer ma robe d'hôpital par des pantalons, un chandail et des chaussures. Cela contribua à ce que je me sente beaucoup plus confortable ! Ce fut, encore une fois, une grande victoire qui renforça ma confiance.

Autrefois, j'étais si peu loquace, si silencieux, que j'en devenais presque invisible au milieu des gens, et même avec les membres de ma famille. Les rares fois où j'avais tenté d'exprimer une émotion, je l'avais fait gauchement, ou alors en criant lorsque la goutte débordait du vase. À l'hôpital, parce que j'eus le courage de m'exprimer et surtout de tenir fermement à mon point de vue au lieu de me taire, je fus gagnant sur toute la ligne.

La nuit, je m'étais créé un rituel. Il y avait toujours un panier plein de fruits sur la table de chevet à côté de mon lit, ainsi que plusieurs tablettes de chocolat dans le tiroir. Tous les soirs, je prenais une tablette de chocolat et plusieurs fruits, ensuite je mangeais tout. Ainsi, j'accumulais suffisamment d'énergie pour passer mes nuits entières sur le balcon à pratiquer toute une série d'exercices : pompes, redressements, torsions et j'en passe. De toute façon, j'étais incapable de m'endormir à cause de l'angoisse et du stress constants. Je ne réussissais à dormir que huit à dix heures par semaine… Alors aussi bien utiliser ce temps au maximum. C'est ainsi que je contemplai dix-huit couchers de soleil et autant de levers de soleil durant mon séjour de trois semaines à l'hôpital Sacré-Cœur.

J'expérimentais beaucoup de choses, et rien ne m'arrêtait. J'avais **décidé** de marcher à nouveau et rien, ni personne, ne m'en empêcherait. Cela me fait penser à une anecdote qui me fait rire encore quand j'y repense. Une de ces nuits, je retirai ma gomme à mâcher pour la coller sur le bras du fauteuil afin de ne pas la jeter, puis je l'oubliai. Lorsque je commençai à faire des pompes, la gomme tomba sur mon siège à mon insu et, chaque fois que je descendais, elle collait à mon pantalon ainsi que sur le siège à différents endroits. Vers quatre heures du matin, j'avais de la gomme collée sur tout le côté droit de mon pantalon et sur le siège du fauteuil. Il fallut donc que je retire le vêtement et me transfère du fauteuil roulant à une chaise devant le lavabo pour arriver à nettoyer mon pantalon avec de l'eau froide. Lorsque l'infirmière de nuit m'aperçut, elle me proposa d'apporter de la glace pour me faciliter la tâche et nettoya gentiment le siège du fauteuil avec de l'alcool. Je travaillai un bon deux heures avant que le pantalon soit à peu près propre.

Autre fait cocasse : en effectuant des redressements dans mon fauteuil, je m'aperçus que mes muscles ne s'étiraient pas autant au niveau des hanches et du dos que lorsque j'étais dans le lit. Ainsi mes jambes étaient dépliées, alors que, dans le fauteuil, elles étaient repliées. Je décidai donc de relever les appuie-pieds afin de déplier mes jambes pour faire mes redressements. Oups ! Petit oubli… Je ne pensai pas à l'effet de gravité de mon propre poids. En me penchant, je vis les roues arrière du fauteuil commencer à décoller du sol. En quelques secondes, je me retrouvai assis par terre, le fauteuil à l'envers au-dessus de moi. J'aurais pu paniquer ou appeler à l'aide, mais je préférai me débrouiller seul pour ne pas risquer de ralentir mes progrès. Il ne faut pas oublier que je ne m'étais pas fait mal, et que ma vie n'était pas en danger. Alors pourquoi dramatiser pour si peu ? Sans compter que le personnel de nuit ne m'aurait plus autorisé à sortir seul la nuit sur le balcon.

Après avoir ri un bon coup devant ma position farfelue, je me dis : « Maintenant que je suis assis par terre et, comme je n'ai jamais pratiqué à faire des transferts du sol au fauteuil, voici le bon moment d'apprendre et de trouver le moyen de me rasseoir. » Encore une fois, j'utilisai cette nouvelle expérience pour m'aider à progresser. Je réussis à tel point que ce nouvel exercice s'ajouta à tous les autres. Bien entendu, je raffinai ma descente. En rétrospective, je constate à quel point tout ce que la pensée positive nous permet d'accomplir. C'est incroyable.

Je me souviens aussi d'une nuit où je m'endormis d'épuisement dans mon fauteuil sur le balcon. À mon réveil, je me rendis compte que mon fauteuil avait été déplacé et mis devant la porte du balcon pour que le personnel puisse me surveiller. En plus, une personne avait eu l'amabilité de poser une couverture sur mes épaules pour éviter que je prenne froid. J'ignore qui a pris cette initiative, mais si cette personne se reconnaît, je la remercie de tout cœur.

CHAPITRE TREIZE

Après seulement trois jours d'entraînement intensif, mon médecin vint me rendre visite. J'en profitai pour affirmer que j'étais certain de marcher à nouveau et, qu'un jour, je n'utiliserais plus de fauteuil roulant. Avec beaucoup de fierté, je lui fis la démonstration de tous les beaux résultats que j'avais obtenus grâce à mon entraînement soutenu. Sans perdre une seconde, je lui montrai mon gros orteil du pied gauche qui bougeait très peu, mais qui bougeait tout de même ! Le médecin, aussitôt, m'obligea à consulter un psychiatre…

Le médecin, en effet, avait conclu que je faisais une dépression et que je refusais tout simplement l'idée de vivre dans un fauteuil roulant. Après la deuxième visite chez le psychiatre, je lui fis comprendre que je ne souhaitais plus le voir parce qu'il me faisait perdre mon temps, et que cela retardait ma récupération. Plus tard, quand j'eus accès à mon dossier médical, je découvris que ce spécialiste avait noté que j'étais un névrosé. Il n'avait certainement pas apprécié mon commentaire.

Évidemment, le médecin ne m'expliqua pas sur le coup pourquoi exactement il m'envoya chez le psy. Je l'appris seulement huit mois plus tard, dans son bureau, en tant que patient externe. Il faut que je vous raconte ce qui s'est passé ce jour-là, car je trouve cela très drôle. Lorsque je me présentai à mon rendez-vous, cela faisait plus de sept mois que ce médecin m'avait vu. Après les trois semaines passées à l'hôpital, je fis des sessions de physiothérapie pendant environ trente semaines dans deux autres établissements hospitaliers. À la fin de ces traitements en physiothérapie, je recommençai à voir ce médecin pour tous mes suivis médicaux. Au bout de vingt ans, je le vois encore. Bref, il s'attendait à me voir arriver en fauteuil roulant. Quand il sortit de son bureau pour m'appeler, je me levai et me dirigeai vers lui en marchant sans aide d'aucune sorte. Si vous l'aviez vu… Il se déplaçait, tout excité, de long en large entre les rangées de sièges de la salle d'attente en disant aux autres patients : « Regardez cet homme ! Il était paralysé, et maintenant il marche ! C'est un miracle, parce que c'était impossible qu'il marche à nouveau ! » Il était vraiment drôle à voir et à entendre.

Une fois dans son bureau, il m'expliqua pourquoi il avait été tellement persuadé que je ne pourrais plus marcher, et ce qui l'avait amené à me faire consulter un psychiatre. Il me raconta que, lorsqu'une personne paralyse après un accident ou une maladie, si elle ne récupère pas un peu au cours des vingt-quatre premières heures, ses chances de guérison diminuent considérablement. Lorsque je lui avais affirmé que j'allais marcher un jour, cela faisait déjà plus de sept jours que j'étais paralysé. De plus, si la huitième dorsale est sévèrement touchée (endroit très critique), habituellement, on n'en guérit pas. Il m'avoua également que ces collègues neurologues, tout comme lui, n'avaient jamais vu un patient marcher après une paralysie causée par une blessure grave à cette vertèbre.

Quand j'avais affirmé à ce médecin que j'allais marcher à nouveau, je ne pouvais pas savoir qu'à ses yeux, il y avait tout un monde entre un orteil qui bouge à peine et la possibilité de marcher. De toute évidence, ce médecin ignorait à quel point j'étais déterminé, et tout ce que j'avais décidé mentalement.

Ainsi, le médecin et le personnel hospitalier étaient catégoriques : ils affirmaient qu'il était impossible que je puisse faire bouger quoi que ce soit du bas de mon corps parce que tout était mort depuis le thorax jusqu'au bout des pieds. Néanmoins, je demeurais convaincu que, si un orteil bougeait, un seul, il était faux de dire que tout était mort. Conclusion : tous les espoirs étaient permis. Imaginez à quel point cette déduction m'a motivé à continuer, malgré l'adversité et la perplexité des autres quand je voyais mon orteil bouger. Cela prouve qu'il ne faut pas toujours considérer comme une vérité absolue ce qu'une personne affirme sans appel.

Bref, je me savais ni fou ni dépressif. Si, après trois jours d'entraînement intensif seulement, j'avais réussi à faire bouger, même presque imperceptiblement, ne serait-ce qu'un seul orteil, j'avais la preuve que ce n'était pas complètement mort. Le courant passait très peu, mais il passait tout de même depuis mon cerveau jusqu'à mes orteils ! Alors pourquoi aurait-il été impossible de faire bouger le reste de mon corps ? La seule condition pour réussir était que je continue à travailler sans relâche et très fort. Sur la base de cette conviction, rien ne pouvait m'arrêter. Je demeure convaincu que le plus important a été d'avoir refusé de laisser qui que ce soit prendre des décisions aussi capitales à ma place au sujet de mon présent, de mon avenir et surtout de mon corps. C'est également grâce à l'amour que l'on me donnait que j'ai pu maintenir cette conviction, tout comme cette assurance et cette confiance absolue en ma récupération, et que j'ai trouvé toute l'énergie nécessaire pour continuer sans jamais douter, ne serait-ce qu'une seconde, à croire que je marcherais un jour.

La suite des événements me donna raison : deux à trois jours plus tard, je retirais en effet les appuie-pieds du fauteuil roulant et posais mes pieds par terre. J'arrivais même à relever mon corps, en me tenant avec mes mains sur les appuie-bras, et même à me tenir presque debout. Avec beaucoup d'efforts et de concentration, je parvenais à soulever le pied gauche de deux à trois pouces durant au moins une minute. Je songeais, fier de moi : « Quelle belle et grande amélioration, et quel accomplissement pour des membres qui étaient supposés être morts…! »

Quelques jours plus tard, on me retira enfin la sonde permanente pour me faire des cathéters plusieurs fois par jour au début, puis de moins en moins les jours suivants. Le médecin m'expliqua que le corps est paresseux. Plus vite on enlève la sonde permanente, plus vite le corps se rend compte de la situation et recommence à travailler de lui-même. Du reste, plus on attend, plus c'est difficile de le rendre fonctionnel. C'était une étape cruciale dans mon processus de récupération si je voulais qu'un jour ma vessie recommence à fonctionner d'elle-même, même si cela supposait de me mouiller plusieurs fois par jour.

Les cathéters, c'était tout un rituel ! Pour éviter tout risque d'infection à la vessie, les infirmières devaient porter des gants stérilisés et désinfecter le bout de mon pénis à quelques reprises avant d'insérer la sonde. Une nuit, une infirmière stagiaire très jolie d'environ dix-huit ans installa mon cathéter. J'eus une érection bien involontaire, et cela la gêna. Elle sortit même de la chambre avant d'avoir terminé, en me déclarant qu'elle reviendrait un peu plus tard. Comme je n'avais encore aucune sensation au toucher, je ne comprenais pas ce qui s'était passé pendant le processus de stérilisation. Mais, en baissant les yeux, je compris ce qui avait causé son embarras. À son retour, je m'empressai de lui dire de demander à sa supérieure d'envoyer quelqu'un pour m'apprendre à installer les cathéters puisque, désormais, je m'en chargerais. J'étais mal à l'aise, mais, en même temps, très content de savoir que cette partie de mon corps fonctionnait encore, même si c'était sans contrôle de ma part. Ce qui rend cette anecdote un peu spéciale, c'est que, quelques mois plus tard, j'appris que l'infirmière en question était l'amie de ma cousine. Parlant de moi, elles ont compris le lien. L'infirmière dit à ma cousine que cet épisode l'avait gênée et embarrassée. Ne dit-on pas que le monde est petit ?

Le lendemain, une infirmière m'expliqua la marche à suivre, du début à la fin. Par la suite, je fis toujours mes cathéters moi-même. Au début, j'en faisais quatre à six par jour puis, cela diminua au fur et à mesure où j'arrivais à aller aux toilettes. Quelques mois plus tard, je n'en avais plus besoin. J'arrivais à vider ma vessie sans utiliser de sonde, mais je continuais de me mouiller régulièrement. Les premières années furent incommodantes, mais les « fuites » diminuèrent peu à peu. Aujourd'hui, cela ne se produit presque plus.

Après vingt et un jours à l'hôpital Sacré-Cœur, je fus donc transféré au centre de réadaptation juif de Laval pendant trente-cinq jours, puis au centre de réadaptation de Montréal pendant vingt-huit jours à l'interne et quelques mois à l'externe.

Incroyable mais vrai : trois mois seulement après l'accident, je m'étais débarrassé du fauteuil roulant pour le remplacer par des cannes. Tout au long de mes traitements, je fus considérablement aidé par Carole en physiothérapie, et par Chantal Legault en ergothérapie. Quel soutien de ces deux spécialistes ! Jamais elles ne tentèrent de me persuader que mon but était impossible à atteindre, et que je perdais mon temps à essayer. Au contraire, elles m'encourageaient constamment et me faisaient travailler très fort. Lorsque je devins un patient externe, ma physiothérapeute continua de m'aider en me laissant utiliser les appareils du centre après mes heures de physiothérapie. Elle prit même de son temps, en dehors de mes heures de rendez-vous, pour me conseiller et me diriger dans le programme d'exercices que je m'étais créé à la maison.

N'allez pas croire qu'un bon matin, je me levai en me disant que c'était fini pour moi d'être assis dans un fauteuil roulant ! Ce fut tout un apprentissage. Au début, je rampais sur le sol comme un ver de terre. Lorsque la physiothérapeute se rendait compte que les exercices devenaient plus faciles à effectuer, elle me retenait par les chevilles pour augmenter le niveau de difficulté. Lorsque je reculais, elle poussait sur mes talons. Plus tard, lorsque j'acquis plus de force et d'équilibre, je commençai à me déplacer à quatre pattes. Cependant, étant donné mes spasmes et mes douleurs constantes, j'étais plus gauche qu'un bébé.

Cela dit, je ne dérogeais pas de mes convictions. Aussi je continuais à progresser, ce qui me permit d'enfin parvenir à me lever pour marcher entre des barres parallèles. Quand je dis marcher, c'est un bien grand mot. Au début, je tentai d'avancer avec un préposé derrière moi. Il était tellement près que je sentais son souffle dans mon cou et son ventre gonfler dans mon dos à chacune de ses respirations. Il y avait également un autre préposé à l'avant qui se tenait presque aussi près. En fait, il me laissait juste assez d'espace pour bouger, pas un pouce de plus. Ce n'était pas très confortable pour marcher, mais très rassurant.

Après un aller, ma physiothérapeute m'attendait au bout des barres parallèles avec mon fauteuil roulant. Elle ne me donnait pas le choix : je devais immédiatement me rasseoir car elle craignait que je tombe et me blesse, ce qui m'aurait propulsé à la case départ. Lorsque je marchais entre les barres parallèles, je travaillais beaucoup plus avec les bras que les jambes. Après un seul aller, j'étais épuisé. À chaque pas, mes jambes pliaient. Je continuai pourtant à me donner à cent pour cent et à redoubler d'efforts. Cela me permit d'augmenter la distance et mon endurance de marche entre les barres parallèles.

En gardant toujours une confiance absolue dans le résultat de tous mes exercices, je ne perdis jamais de temps à regarder l'ampleur du travail à faire et je ne pensai jamais à laisser tomber. Jamais. Et cela, même si tout mon squelette me faisait très mal. Je souffrais sans arrêt, et jamais je ne connaissais une seule seconde de répit. Malgré tout, je me poussais à aller de plus en plus loin en me visualisant en train de marcher comme avant. Pour rassurer ma physiothérapeute, je dus même lui prouver (avec démonstration) que je savais comment tomber sans me blesser sur les coussins placés au sol. Après cela, elle m'accorda plus de latitude, ce qui me permit d'expérimenter davantage dans mes tentatives de marche. Cela me réussit, puisque je repris assez de force et d'équilibre pour me déplacer avec une marchette. Enfin, je pouvais sortir du local de physiothérapie et me promener, debout, dans les corridors de l'hôpital ! J'étais maintenant beaucoup plus libre. Cela peut sembler un peu bizarre d'affirmer se sentir libre quand, à vingt-neuf ans, on se déplace en marchette avec surveillance obligatoire… Mais c'est bien mieux que d'utiliser le fauteuil roulant en permanence. Quand je pensais à ce que les médecins m'avaient affirmé, à savoir que je ne marcherais plus jamais, le simple fait de me tenir debout me faisait crier victoire !

Dès cette étape de ma récupération, j'avais congé d'hôpital les fins de semaine. Je me rendais chez ma sœur Claudette et son mari, Gaétan. J'en profitais pour effectuer plusieurs exercices qui m'étaient interdits à l'hôpital : descendre et monter des escaliers en m'appuyant à la rampe, marcher sans aide dans les couloirs en me tenant avec les mains aux deux murs. Cela supposait de tomber souvent, de m'écorcher le dos sur un radiateur, de me faire des ecchymoses un peu partout. Il m'arriva même d'arracher le porte-savon en tombant dans la baignoire, risquant ainsi de me briser des os, ou pire encore. En réalité, je dois vous avouer que ces difficultés ne comptaient pas du tout. J'étais debout ! Prêt à tout faire pour le demeurer. C'était tout ce qui comptait.

L'ergothérapeute me faisait également travailler intensément afin de m'aider à retrouver un équilibre. Elle m'apprit à m'habiller assis dans le fauteuil roulant et, plus tard, debout en équilibre, puis à me préparer à manger et à effectuer certains petits travaux ménagers. Je faisais même des jeux de toutes sortes, assis et debout.

Je me souviens de plusieurs jeux qu'elle me faisait pratiquer quand j'ai quitté le fauteuil roulant. Au début, je devais jouer assis afin de renforcer mon dos et mon équilibre. Puis, ce fut debout pour attraper un ballon qu'elle lançait au-dessus de ma tête, à ma gauche, à ma droite et aux genoux pour que je descende plus bas. On jouait aux palets (*shuffle board*), à des jeux de concentration et à des casse-têtes spéciaux que je devais également faire debout. Enfin, j'utilisais les escaliers sous surveillance et plus encore.

Quand je repris encore plus de force, je remplaçai la marchette par deux béquilles canadiennes, c'est-à-dire des béquilles coupées avec des cerceaux de métal que l'on place aux avant-bras. Quelques semaines plus tard, je les remplaçais par deux cannes ordinaires. Tout cela trois mois après l'accident, jour pour jour. Je n'aurais plus jamais à me rasseoir dans un fauteuil roulant. Quand j'y repense…

Ce n'est pas si mal pour une personne condamnée comme je l'étais.

Enfin ! Je pouvais rentrer chez moi après ces longs mois à l'hôpital. J'y avais été bien soigné, mais j'avais l'impression que ce séjour avait été aussi long que trois années de prison (même si je n'ai jamais vécu cette expérience), à cause du niveau de stress que j'éprouvais et surtout parce que je me sentais comme un homme qui venait de recevoir une peine capitale, une sentence à vie. Tout cela me donnait l'impression d'étouffer.

Au début, je me rendis donc à la clinique en tant que patient externe, à raison de cinq jours par semaine, pendant environ deux mois. Puis, j'ai pu réduire mes visites à trois jours jusqu'à la fin de ma physiothérapie qui a duré environ cinq mois.

En décembre 1988, l'idée me vint de décorer le local d'ergothérapie pour Noël. À la maison, je fabriquai de grandes lettres de papier de couleurs différentes pour y écrire « Joyeux Noël » et « Bonne Année ». Le lendemain, j'arrivai avant mon rendez-vous et, comme personne n'était encore sur place, j'en profitai pour entrer dans le local d'ergothérapie et installer mes lettres au mur, soit entre le plafond et les fenêtres, à environ douze pieds du sol. Étant donné qu'il n'y avait ni escabeau, ni échelle dans la pièce, je dus me servir d'une chaise pour monter sur la table. Puis j'y posai une autre chaise pour finalement y grimper afin d'atteindre l'endroit où je désirais coller mes lettres. J'avais presque terminé mes décorations lorsque mon ergothérapeute entra dans le local. Lorsqu'elle m'aperçut, grimpé presque au plafond, elle fut saisie. Paniquée, elle se mit à crier en m'ordonnant de descendre immédiatement et prudemment pour ne pas tomber. Avant de descendre, je la rassurai en lui disant qu'il n'y avait pas de danger, que je contrôlais la situation. Tout en plaçant les dernières lettres au mur, je commençai à descendre lentement et sûrement. Elle me traita de fou en me demandant si j'avais l'intention de me briser le cou. Elle n'avait pas encore compris que je n'accepterais jamais ni compromis, ni interdit, si je tenais à accomplir quelque chose. Je devais sentir qu'il m'était encore possible d'effectuer seul des gestes difficiles et même risqués. Quand je lui expliquai mon point de vue, nous pûmes commencer à travailler.

CHAPITRE QUATORZE

Une fois chez moi, seul et autonome, je modifiai mes exercices pour d'autres plus appropriés. Enfin sans surveillance, un éventail de possibilités s'ouvrait à moi. Dans un premier temps, j'installai des stores verticaux de douze pieds de longueur dans ma chambre à coucher, ce qui contribua grandement à augmenter encore une fois ma confiance en moi dans l'accomplissement de petit travaux. Tous les matins, au lieu de prendre l'ascenseur, je me rendais à la piscine au sous-sol de mon immeuble en empruntant les escaliers. Quatorze étages… Même si cela peu sembler extrême à certains, pour moi ce n'était pas seulement un déplacement de la maison à la piscine, mais bien un trajet qui faisait partie intégrante de mon nouveau programme d'exercices quotidiens. Comme mes jambes étaient encore secouées de spasmes et faibles, je n'arrivais que difficilement à lever les pieds, ce qui faisait en sorte que je les accrochais constamment. Plusieurs fois par jour, je me retrouvais par terre et ce, depuis mes premiers pas, en novembre 1988, et pendant des années. Heureusement, plus je pratiquais, moins je tombais. En améliorant mon équilibre, j'arrivai à réduire mes chutes. Aujourd'hui, j'en fais moins d'une par mois.

Lorsqu'il m'arrive de m'accrocher les pieds et de tomber, Denise et moi nous nous amusons à dire que « c'est la faute aux fleurs du tapis qui se lèvent sur mon passage ». Parfois, en riant, j'accuse la personne qui se trouve près de moi de m'avoir fait un croc-en-jambe. Mieux vaut en rire. De toute manière, même si je me fâchais, je ne tomberais pas moins souvent.

Je préfère monter les escaliers deux marches à la fois parce que cet effort m'oblige à lever les pieds plus haut, ce qui constitue un bon étirement. De façon régulière, je monte et descends les marches à reculons, ce qui m'aide énormément au niveau de l'équilibre et à faire travailler des muscles différents. Cela diminue la spasticité et les risques de blessures. Aujourd'hui, je m'en félicite grandement, parce que c'est grâce aux escaliers que j'ai réussi à faire ces étirements que je n'aurais jamais pu faire autrement. Pour cette raison, je prenais toujours l'escalier au lieu de l'ascenseur, sauf lorsque j'avais des visiteurs, ou des paquets à transporter.

La leçon que je tire de cet entraînement continuel est l'importance de se concentrer sur les objectifs à atteindre. Que sur eux. Je n'avais qu'un seul but : marcher, marcher, marcher ! Pour y arriver, je me répétais : « Plus le travail est exigeant, plus les résultats seront grands. » C'est pour cela qu'il ne faut jamais hésiter à s'investir à fond dans tout ce que l'on entreprend.

Étant donné que la piscine de mon immeuble ouvrait seulement à neuf heures, je demandai à la directrice – en lui expliquant ma situation – si elle acceptait de me prêter une clé pour me permettre de pratiquer mes longueurs vers sept heures du matin. À ma grande surprise, elle fut d'accord.

J'étais très fier de moi d'être arrivé à parler et à m'exprimer clairement. Parce que j'ai osé demander à la direction la clé de la piscine, j'avais tout l'espace et le temps voulus pour faire mes exercices, en plus d'expérimenter de nouveaux mouvements et du nouveau matériel d'entraînement.

À partir de cet instant, je pouvais faire tout ce que je voulais sans crainte d'être dérangé. Tout devenait possible, même me baigner sans maillot de bain. Ce que je fis, sans être tout à fait nu, puisque je portais un ensemble de coton ouaté épais pour augmenter le niveau de difficulté de mes exercices dans la piscine.

Après quelques mois, ennuyé de nager comme un poisson dans son aquarium, je me suis procuré des ceintures de sécurité d'automobile avec une boucle. Je m'en servis pour me fabriquer un harnais auquel j'attachai une corde de chaque côté, pour ensuite en fixer l'autre extrémité à l'échelle de la piscine située dans la section d'eau profonde.

Retenu sur place, je pouvais ainsi nager continuellement sans jamais devoir m'arrêter pour tourner. De plus, j'avais la sensation de nager devant un courant, ce qui me permettait d'augmenter encore le niveau de difficulté. J'étais fier de moi. Comme mes jambes étaient encore très spastiques et faibles, mes pieds traînaient au fond de la piscine lorsque je nageais dans la section peu profonde, ce qui éraflait le dessus des pieds jusqu'au sang, mais, avec mon nouvel équipement, ce problème fut réglé.

Ainsi, à peine dix mois après l'accident, je me rendis à Lambton en Estrie (village natal de mon père) dans le but de traverser à la nage le lac Saint-François sur toute sa largeur. Je réussis, en aller-retour, ce qui représente l'équivalent d'une distance d'un peu plus de huit kilomètres. Ce n'était peut être pas la traversée du lac Saint-Jean mais, considérant que j'avais été paralysé, cet accomplissement fut une étape très importante, pour ne pas dire fondamentale, qui me remonta le moral et, une fois de plus, augmenta ma confiance en moi.

Mes séances de physiothérapie se poursuivaient, cinq jours par semaine. Je continuais également à me rendre à pied au gymnase (quatre à cinq jours par semaine) pour y faire du vélo stationnaire, du tapis roulant, du simulateur d'escalade. J'utilisais tous les appareils de musculation pour renforcer mes jambes. Cet entraînement durait un peu plus de trois heures chaque fois. Je revenais à la maison à pied et remontais, encore une fois, les nombreux escaliers jusqu'à mon appartement.

Tout au long de cette période, je fus incontinent. Je devais donc éviter de marcher dans la rue en plein jour avec le pantalon mouillé jusqu'au bas des genoux ou avec une bosse malodorante au fond de ma culotte, ce qui était très embarrassant chaque fois que cela m'arrivait. Pour cette raison, après quelques mauvaises expériences, j'attendais l'obscurité pour sortir et faire une longue promenade, beau temps mauvais temps, chaque jour de la semaine. Un trajet d'environ six kilomètres, avec un arrêt au parc. J'y gravissais une butte de deux mètres de hauteur environ en marchant vers l'avant, en reculant et de côté. Cela, encore une fois, me permettait de pratiquer mon équilibre et faisait travailler les muscles de mes jambes de toutes les façons.

Je devais sûrement mettre beaucoup de cœur à la tâche puisque, un jour, un couple qui s'entraînait à la course à pied me demanda pour quelle équipe je m'entraînais. Ces gens furent très surpris et impressionnés quand je leur expliquai la raison pour laquelle je faisais tous ces exercices. Par la suite, ils me saluaient chaque fois que nos routes se croisaient.

Il me fallut fournir beaucoup d'efforts, c'est vrai. Mes objectifs demeuraient toujours très élevés, présents à mon esprit, et le résultat en valait vraiment la peine. Encore une fois, je recevais les récompenses de la persévérance puisque je marchais de mieux en mieux. Cet entraînement intensif dura environ deux ans.

À cette étape, je voudrais ouvrir une parenthèse qui me semble importante. Depuis l'âge de neuf ans, jusqu'à ce que je décroche de l'école à seize ans, mes notes étaient très faibles. Je dirais même que, parfois, mes professeurs me faisaient monter de classe par charité. Environ quinze mois après l'accident, je m'inscrivis à l'école des adultes pour terminer mon secondaire cinq. Après une évaluation, ils me placèrent en secondaire un. Puisque j'y retournais de mon propre gré, j'étudiai sérieusement et très fort. Le plus étonnant c'est qu'en seulement neuf mois, je terminai mon cours secondaire avec aucune note en bas de 85 %. Je tenais à raconter cet épisode pour démontrer que lorsqu'un enfant a beaucoup de difficultés à l'école, cela ne signifie pas forcément qu'il n'est pas intelligent, ou pas fait pour les études, mais peut-être qu'il cache un malaise ou un problème plus grave.

CHAPITRE QUINZE

É tant donné ma condition difficile à plusieurs égards, ma femme, Denise, sa sœur Terry et moi avons décidé d'acheter une maison à Sainte-Adèle dans les Laurentides. Comme Denise et moi n'avions pas les moyens de l'acheter, à trois cela devenait possible. À cette époque, la maison ne valait pourtant que cinquante-deux mille dollars.

Nous avons choisi Sainte-Adèle parce que nous y allions régulièrement, la fin de semaine, rendre visite à Madeleine et Jacques, de la famille de ma femme, qui possédaient un chalet au lac Millette. Nous avions beaucoup de plaisir ensemble. Nous prenions des cocktails au bord de l'eau en nous dorant au soleil. Sans oublier les baignades et les longues promenades en forêt pour admirer le superbe paysage que la nature offre à cet endroit.

Je me souviens tout particulièrement d'une fois où Denise, sa sœur Terry et moi avons fait le tour du lac en empruntant des sentiers sauvages, après une journée bien remplie. Nous avons longtemps marché en forêt profonde. Il ne s'y trouvait ni piste ni repère d'aucune sorte. C'était un terrain accidenté, au sol parsemé de branches mortes, de racines, et couvert de boue. Après trois heures de marche, nous sommes revenus au chalet, à la brunante, totalement épuisés et sales. Pour ma part, j'étais le plus sale des trois puisque j'étais tombé à plusieurs reprises. Moi qui croyais prendre une journée de congé, j'étais loin de me douter que l'expédition deviendrait une grande journée d'entraînement ! Denise et sa sœur se sentaient très mal à l'aise de m'avoir entraîné dans cette expédition, jusqu'à ce que je leur dise que j'étais content, car cela était un très bon exercice inattendu dans un décor très joli. J'en gardai un très bon souvenir.

Lors de plusieurs soupers au chalet de Madeleine et Jacques, je tombais presque d'épuisement avant la fin. Chaque fois, je me retirais, et m'assoyais dans un fauteuil accueillant, pour bientôt m'y endormir. N'allez pas croire que je m'endormais parce que ce n'était pas agréable, bien au contraire, mais plutôt à cause de la grande quantité de médicaments que je devais prendre à cette époque pour soulager mes douleurs. Il y avait aussi une autre raison : les soupers commençaient habituellement vers vingt et une heures, presque à l'heure où, en temps normal, complètement à bout de forces, je devais aller me coucher. Quand je me réveillais, bien évidemment, ils en profitaient pour me taquiner.

Tous ces bons moments influencèrent notre décision d'aller vivre à Sainte-Adèle. De plus, on ne se lasse pas des magnifiques décors des Laurentides. Une fois là-bas, je dus changer encore tous mes exercices pour les adapter à mon nouveau milieu de vie. Nous étions désormais loin de la ville, de la brique, de l'asphalte et du ciment. Nous vivions en forêt, en dehors du village de Sainte-Adèle. Pour voisins, nous avions des ratons-laveurs, des cerfs, des renards et plusieurs autres animaux sauvages qui aimaient bien se promener autour de notre maison. Quelques maisons se devinaient de très loin. Tout un contraste avec les grandes villes.

Quel bel emplacement ! Nous habitions au pied du centre de ski Mont-Sauvage, un petit centre de ski alpin familial adapté pour les jeunes enfants. C'était parfait pour moi puisqu'il m'était possible de gravir la montagne presque tous les jours, dès la fin du printemps et jusqu'au début de l'hiver. Parfois, j'en profitais pour apporter un goûter et pique-niquer quelques heures en montagne. Belle et grande récompense. La nature qui s'offrait à mes yeux était tout simplement sublime. J'admirais le terrain de golf de Val-Morin, de même que le lac Raymond, entouré de montagnes et de somptueuses maisons. On aurait dit une vue aérienne. Je pouvais même observer les oiseaux et les avions ultralégers voler à une altitude inférieure à mon point d'observation. J'en profitais pour rêver que j'étais à bord de ces appareils, et que j'admirais le majestueux paysage. J'étais aussi très sensible à la solitude et au silence de cette montagne. Je me confiais à Dieu. À cette époque de ma vie, j'avais souvent besoin de méditer et de réfléchir. Je constatais que je subissais parfois mon quotidien, au lieu de tout simplement le vivre. Ce n'est pas parce que j'avais décidé de rester en vie après l'accident, que tout, comme par magie, se déroula en douceur. Bien au contraire, la vie continua à mettre des embûches sur mon chemin et ne m'épargna pas.

Par exemple, j'avais ce qu'on appelle « un meilleur ami », presque un frère, à qui j'avais présenté ma cousine, qui devint son épouse. Un mois avant mon accident, il me demanda de lui prêter cinq mille dollars et j'acceptai de le dépanner. Comme j'étais maintenant à court d'argent, je dus lui demander quand il pourrait me rembourser la somme en question. Évidemment, étant donné la confiance aveugle que j'avais en lui, aucun papier n'avait été rédigé pour cette transaction. À quoi cela m'aurait-il servi puisque, alors, j'étais convaincu qu'il me restait moins de deux mois à vivre ?

Il réagit brusquement à ma demande en disant : « Tu avais les moyens de sauter en parachute, asteure vient plus m'emmerder avec ça ! » J'appris plus tard, par un autre membre de ma famille, que cet ami avait un jour déclaré : « Daniel va finir ses jours en fauteuil roulant et, comme je demeure au troisième étage, il ne pourra jamais venir m'écœurer chez moi pour se faire rembourser... » Quelle déception ! Ce fut douloureux, car je ne me serais jamais attendu à un tel comportement de la part de cet homme que je croyais être un véritable ami. Ce fut comme s'il m'avait planté un couteau dans le dos. C'est souvent lorsque nous sommes vulnérables que des personnes sans scrupules en profitent pour nous abuser et nous montrer leur vrai visage.

Je mentionne cet incident pour que tous ceux qui ont malheureusement vécu une expérience semblable sachent qu'ils ne sont pas les seuls. Si vous en avez été épargnés, tant mieux, mais restez sur vos gardes en vous assurant de rédiger tous les papiers légaux nécessaires lorsque vous faites des transactions, afin de vous protéger, surtout, hélas, quand il s'agit de vos proches. On ne sait jamais quand et par qui on peut être lésé. Trop souvent, malheureusement, ce sont des gens en qui on avait le plus confiance. Je finis par apprendre que c'est toujours quand nous sommes par terre que plusieurs personnes nous montrent leur vraie nature en nous volant et en nous marchant sur le corps comme des rapaces.

Quand je cessai mes traitements en physiothérapie, huit mois après l'accident, ce n'était pas parce que je n'en avais plus besoin, bien au contraire, mais parce que le centre jugea bon d'y mettre fin. Selon l'équipe, je travaillais « trop fort » à la maison, donc je n'avais plus besoin d'aide. C'est du moins ce que ma physiothérapeute me confia. Le centre a également prétexté un déficit budgétaire pour renvoyer en même temps un autre patient qui travaillait sans doute « trop fort ». Pourtant, la même semaine, deux fonctionnaires gagnant cinquante mille dollars par année entrèrent dans ce service.

Un autre point important m'ouvrit les yeux. Un peu plus de deux ans après l'accident, au moment où ma confiance en moi était au plus bas, j'obtins mon premier emploi à Sainte-Adèle en tant que pompiste. Je travaillai moins de trois mois. Mon employeur, pour se donner de l'importance, aimait rabaisser ses employés. Il s'amusait à me ridiculiser et à m'humilier devant ses clients. Un jour, quand les égouts du garage se sont remplis de sable et que l'eau ne s'écoulait que lentement, je pris l'initiative de dire à mon patron que j'allais les vider pour régler le problème. Avec son air supérieur devant les clients, il me répondit de ne pas y toucher parce que c'était un travail d'homme et que je n'en étais pas un. Il me reprochait aussi de faire attendre les clients aux pompes d'essence parce que je ne pouvais y aller en courant. Il jouait avec moi comme un chat avec une souris.

Je finis par découvrir que jamais un pompiste ne demeurait à son service plus de trois mois. N'en pouvant plus, je me mis à la recherche d'un nouvel emploi. Lorsque mon patron apprit que je cherchais du travail, il me congédia, en me disant que, de toute manière, je nuisais à l'image de son commerce parce que je marchais comme un homme saoul. Il me traita même de voleur parce que, selon lui, j'avais osé chercher un autre emploi alors que j'étais engagé chez lui. Que je le fasse après mes heures de travail ne comptait pas à ses yeux.

Lorsque je cessai de travailler dans ce garage, un client m'avoua que le patron demandait à ses clients réguliers de ne pas donner de pourboires aux pompistes sous prétexte qu'il les payait plus cher. Cela le valorisait aux yeux de ses clients. C'était évidemment faux, car je gagnais le salaire minimum, tout comme les autres pompistes.

Je gardai un bien mauvais souvenir de mes conditions de travail dans les Laurentides : salaire minimum, heures supplémentaires obligatoires, parfois non payées, et autres inconvénients. L'argument souvent invoqué était le suivant : « Si tu refuses d'entrer, j'ai déjà plein de candidatures sur mon bureau, et ces gens ne demandent pas mieux que de prendre ta place, alors… » Dans un tel contexte, il faut accepter, ou c'est la porte.

Je travaillai également dans une boulangerie artisanale. Là encore, les conditions de travail étaient pénibles. Comme l'endroit était très fréquenté par les touristes durant la saison de ski, et aussi durant l'été pour le golf, le théâtre et les vacances, le patron ne manquait pas de postulants. Les heures supplémentaires, obligatoires, était payées en temps régulier. De plus, toutes les heures supplémentaires travaillées étaient mises en banque, une sorte de réserve afin d'avoir une paye si on tombait malade, si on se blessait au travail ou encore si on désirait prendre des vacances. C'était incroyable. J'avais l'impression d'avoir fait un bond en arrière d'au moins cent ans par rapport aux conditions de travail actuelles. Tout ce qui manquait au tableau, c'était des chaînes aux pieds et un fouet.

Peu après, je fis une demande d'emploi chez un concessionnaire automobile des Laurentides. Le gérant de service me demanda quel salaire je pensais obtenir. Sachant d'expérience que, dans les Laurentides, on payait moins bien qu'ailleurs, je répondis qu'un taux horaire de dix dollars me conviendrait. Il me regarda, surpris, et me dit en riant que je serais payé sept dollars de l'heure, ajoutant que, « pour le Nord, c'est bien payé ».

Jamais Denise et moi ne pourrons oublier un certain soir d'hiver quand, après le travail, à vingt et une heures, je me rendis chez un ami à environ sept kilomètres de chez nous. À mon retour à la maison, la neige s'était transformée en pluie verglaçante et toutes les rues étaient devenues de vraies patinoires. Je réussis à faire avancer la voiture péniblement sur une grande distance mais, à deux kilomètres de la maison, les choses se compliquèrent car la route présentait une longue courbe ascendante sans aucun arrêt. Pour me donner une chance de conserver ma vitesse, je ne fis pas d'arrêt au bas de la pente, et j'accélérai le plus possible, ce qui m'aida à monter la pente plus facilement. À moins de cinquante pieds de son sommet, ma voiture cessa d'avancer. Même si les roues continuaient à tourner vers l'avant, la voiture se mit à reculer, et il m'était impossible de l'immobiliser.

En reculant, je parvins à entrer dans la cour d'une maison fermée pour l'hiver. Heureusement, l'épaisseur de la neige accumulée et la croûte de glace qui la recouvrait me permirent d'arrêter, sans trop de dommages. Tentant de me repérer, je me rendis compte que je me trouvais maintenant à environ cinq cents pieds du sommet de la pente. Quand je voulus la remonter, à pied, je glissai immédiatement sur une distance de plus de deux cents pieds. Cela me donna tout un choc de m'éloigner encore une fois de plus du sommet. J'étais complètement épuisé, et j'avais les mains glacées. Il pleuvait très fort et il m'était impossible de marcher dans la rue. Il m'a pourtant fallu grimper sur un banc de neige, au-dessus du fossé, sur le bord de la route, en défonçant la croûte de glace avec mes poings nus. Chaque pas que je faisais, à quatre pattes, me permettait de m'accrocher à quelque chose. Je parcourus ainsi plus de sept cents pieds.

Une fois en haut de la pente, même s'il me restait encore une très grande distance à parcourir avant d'arriver chez moi, je me dis que le pire était derrière moi puisque le reste du chemin était plat. Trop beau pour être vrai… Même s'il n'y avait plus de pente, il m'était impossible de marcher dans la rue à cause de la glace. Les muscles de mes jambes ne fonctionnaient pas correctement, surtout ceux qui empêchent les jambes d'ouvrir. Aussi mes jambes s'ouvraient-elles pour faire le grand écart dès que je tentais de rester debout. Je tombais, et la douleur, insupportable, me submergeait. Je dus me résigner à continuer d'avancer à quatre pattes en défonçant la croûte de glace à coups de poing. Enfin, à deux heures du matin, trempé de part en part, gelé jusqu'aux os et les mains ensanglantées, je rentrai chez nous.

Denise était très inquiète. Je n'avais pas l'habitude de rentrer si tard. Lorsqu'elle ouvrit la porte, me voyant si abattu, elle crut que j'avais été attaqué. Je peux vous assurer que, depuis cette fameuse soirée, je ne sors jamais de la maison en hiver sans apporter un sac de survie contenant une tuque, des mitaines, un foulard, des chaussettes et plus encore, que je garde dans le coffre de ma voiture.

De cette aventure, je gardai des blessures qui s'ajoutèrent à celles que je m'étais faites au fil de mes emplois après l'accident de plongée. D'ailleurs, j'en garde toujours les séquelles, après plus de vingt-deux ans.

Je travaillai également au Centre de ski Chanteclerc de Sainte-Adèle. Le salaire n'était pas très élevé, mais le travail y était moins dangereux et plus agréable. Il consistait à passer toute la journée dans une cabane située en haut d'une montagne pour surveiller les skieurs qui débarquaient du monte-pente. Si quelqu'un tombait, j'arrêtais le monte-pente le temps que cette personne puisse se relever. C'était un emploi que j'aimais bien. Physiquement, c'était facile, l'ambiance était agréable, sans oublier la vue magnifique sur le paysage.

Chaque jour, au lieu d'emprunter le monte-pente, je gravissais la montagne à pied pour accéder à la cabane. C'était un bon exercice au début de ma journée de travail. Le soir venu, j'utilisais un *crazy carpet* pour glisser sur la pente de ski jusqu'à l'hôtel.

Un soir, je perdis le contrôle et je me retrouvai tête première dans le sous-bois, dans la neige jusqu'aux genoux. Deux patrouilleurs qui se trouvaient derrière moi virent heureusement l'incident et s'empressèrent de me secourir. Lorsqu'ils arrivèrent près de moi, ils trouvèrent un Daniel complètement hilare, et dans une position des plus cocasses… Imaginez la scène, je n'avais que les deux pieds qui sortaient de la neige. Surpris et rassurés de m'entendre rire, les patrouilleurs me tirèrent par les pieds. J'avais de la neige partout dans mes vêtements, un vrai bonhomme de neige ! J'aurais fait rire bien des gens si la scène était passée à l'émission *Drôle de vidéos*.

Il m'arriva de me blesser encore et encore au cours de mes nouveaux emplois, mais il fallait bien que je gagne ma vie ! Le plus frustrant, c'est que je n'aurais pas subi toutes ces mésaventures si les instances gouvernementales concernées avaient accepté de reconnaître mon statut d'handicapé. Mon médecin m'avait pourtant déclaré inapte au travail étant donné que je présentais plus de cinquante pour cent d'incapacité physique, et que je souffrais régulièrement d'incontinence urinaire et fécale. Cela est encore le cas, plus de vingt-deux ans après l'accident, en plus de la douleur chronique de tous mes os, depuis le thorax jusqu'au bout des orteils. Avec les années, je dus donc recourir, à mes frais, aux services d'un avocat pour faire valoir mes droits.

À cette époque, je me sentais complètement démoli physiquement, psychologiquement et financièrement. Notre revenu annuel conjoint était inférieur à douze mille dollars. Malgré tout, je ne baissai pas les bras. J'en fus récompensé lorsque je finis par obtenir ma rente d'handicapé de la Régie des rentes du Québec (RRQ), après avoir livré un combat juridique pendant plus de six ans. Cela prouve encore une fois qu'il ne faut jamais se décourager et abandonner, car on ne sait jamais à quel point on est près du but. Je n'eus cependant pas droit au montant complet de ma rente (incluant les arrérages) à cause de prétextes et de mensonges au sein de certains bureaux gouvernementaux, situation que je préfère taire aujourd'hui.

Après tous ces événements, j'étais tellement épuisé qu'il ne me restait plus que la peau et les os. J'avais le teint verdâtre et je tremblais comme un vieillard. À la maison, délivré de l'obligation d'aller travailler, je pus enfin lâcher prise. Toute la fatigue accumulée se fit alors sentir tel un poids énorme, et je demeurai totalement inactif durant plus de trois mois. Lors de cette période, je voulus tondre le gazon. Au bout de quinze minutes, je m'effondrai d'épuisement. Nous étions en plein après-midi, mais je dus me coucher tant je ne tenais plus sur mes jambes.

Après une année de convalescence, je redevins enfin actif, au ralenti, mais il m'était au moins possible d'effectuer de menus travaux, à condition qu'ils soient de courte durée et peu exigeants.

Aujourd'hui, avec le recul, je pense que je serais probablement mort depuis longtemps sans cette rente d'handicapé. Que de problèmes évités si les décideurs avaient un cœur et prenaient le temps d'étudier vraiment la pertinence d'une demande au lieu de les rejeter sauvagement !

Tout ce que j'avais vécu m'avait rempli le cœur de peine et de frustration. Parfois j'étais tellement découragé que j'en voulais même à Dieu, le tenant directement responsable de tout ce qui m'était arrivé depuis ma naissance. Un jour de pensée noires, seul au sommet du Mont-Sauvage, j'en profitai pour me vider le cœur et crier mon désarroi à Dieu en lui disant que j'en avais assez de recevoir des coups, que je ne pouvais plus en prendre. Je lui dis même de m'oublier pendant plusieurs années, de s'amuser à s'acharner sur quelqu'un d'autre, le maudissant pour la vie qu'il me faisait vivre. Même si cela m'a énormément soulagé sur le moment, je me mis à pleurer tellement ça faisait mal.

N'allez pas croire que je suis un illuminé, mais, à cet instant même, levant les yeux, j'aperçus au-dessus de moi un immense nuage, isolé. Ce nuage insolite avait précisément la forme d'un ange aux ailes grandes ouvertes, avec une longue robe blanche qui descendait jusqu'aux chevilles et les deux pieds qui dépassaient. Cette forme était tellement nette qu'on aurait dit qu'elle avait été découpée au couteau. Cette vision me troubla profondément. Je me suis même demandé s'il s'agissait d'un message que Dieu me faisait parvenir. À la recherche de réponses, je me souvins que Denise possédait une bible dans la bibliothèque. Je ne l'avais jamais ouverte. De retour à la maison, je commençai à la lire en me disant que j'y trouverais des indications pour m'aider à comprendre ce que Dieu attendait de moi. N'est-ce pas le seul livre qu'Il nous ait laissé afin d'apprendre à Le connaître davantage ? Il me fallut un an pour lire toute la Bible, de la Genèse à la Révélation. Je comprenais un peu mieux ce que Dieu attendait de nous, les humains, mais ce n'était pas encore assez clair pour moi. Je relus donc la Bible une seconde fois, puis une autre, jusqu'à huit fois. Je vous l'ai dit : je suis extrémiste…

Encore aujourd'hui, je ne saisis pas tous les messages de ce livre, mais cette étude de la Bible contribua à calmer ma colère et ma frustration, ainsi qu'à faire la paix avec Dieu. Au moins, je connais un peu mieux quels sont les enjeux sur Terre, pourquoi il y a toujours des combats, des crimes odieux et de la misère, et pourquoi cela dure depuis plus de six mille ans. Je trouve très rassurant de savoir que toute cette misère n'est que temporaire et que, un jour, cela finira pour toujours. Car le dessein originel de Dieu est que la Terre soit un paradis.

Avant cette lecture, j'étais comme une bombe à retardement, prête à exploser à tout moment. Je me disais parfois que, si un bouton magique pour faire sauter la planète avait existé, j'aurais appuyé dessus sans la moindre hésitation, tout en étant convaincu que j'aurais fait beaucoup plus de bien que de mal. Combien d'entre vous ont pensé ainsi, à un moment de leur vie, à cause de toute la méchanceté, la cruauté, l'injustice et les horreurs que l'on peut voir et entendre dans ce monde complètement fou ? Croyez-moi, je vous comprends très bien, mais si vous saviez à quel point la lecture de la Bible peut redonner confiance et espoir, vous vous y mettriez dès maintenant et y trouveriez beaucoup plus d'intérêt et de réconfort que vous ne pouvez imaginer.

CHAPITRE SEIZE

Trois ou quatre ans après notre déménagement à Sainte-Adèle, mon ami Jean-Pierre – qui avait subi, lui aussi, un accident de plongée sous-marine – me téléphona pour me demander si je voulais participer à une étude avec des chercheurs de l'Université McGill. Cette recherche consistait à trouver des moyens pour aider des gens à retrouver un meilleur contrôle de leurs jambes après une paralysie. J'acceptai immédiatement, et devins un des collaborateurs de cette université durant plus de cinq ans.

Il s'agissait de marcher deux heures par jour en portant un stimulateur branché sur mes jambes, juste sous les genoux. L'appareil touchait également certains points très précis qui communiquent avec des nerfs moteurs et des nerfs sensitifs. À chaque pas, j'actionnais le courant qui se propageait dans ma jambe grâce à un contrôle manuel. L'appareil multipliait la force du courant qui devait passer normalement par le cerveau et donner l'ordre aux jambes de bouger. Je me sentais un peu comme un jouet qui fonctionne à piles et que l'on fait bouger à l'aide de manettes, sauf que j'étais celui qui les contrôlait. Au début, c'était très difficile de marcher avec cet appareil. Je dirais même qu'avancer trente minutes était plus difficile que de marcher deux heures sans le porter. Même si, en commençant, j'arrivais à peine à marcher plus de quinze minutes à la fois avec un arrêt d'au moins une heure, une fois le tout terminé, j'étais épuisé. Le petit monstre à piles devait les recharger. Ha ! Ha ! Ha ! Après quelques mois, j'arrivais à terminer mes deux heures de marche en deux étapes seulement.

Après un an, j'avais récupéré suffisamment de force et de contrôle pour faire les deux heures sans aucune pause. Après cet exercice, il me restait même assez d'énergie pour tondre le gazon ou monter la pente du centre de ski à pied ou à quatre pattes. Eh oui, à quatre pattes. Je portais des genouillères pour y arriver. Cet excellent exercice me permettait des mouvements plus amples au niveau des hanches. Peu à peu, j'augmentais ma vitesse et j'arrivais à faire de plus grandes enjambées, avec moins d'effort. Par moments, je trouvais cela très drôle : je ressemblais à un bébé qui essayait de courir alors qu'il venait à peine de commencer à faire ses premiers pas, ou, comme dans les films, à quelqu'un qui court au ralenti sur un terrain accidenté. Je ne savais jamais de quel côté j'allais tomber.

Au cours de mes promenades régulières, je me fis de nouveaux amis. Des gens sympathiques s'arrêtaient pour bavarder, ou m'accompagnaient pour un bout de chemin. Je me souviens de monsieur Leduc, en particulier, qui me téléphona pour me dire de ne pas me promener dans le secteur pendant quelques jours, car une ourse et ses deux petits venaient manger les fruits de son pommier, à peine à dix pieds de la rue. Il me fallut attendre que son arbre soit dégarni, et que la petite famille quitte le secteur avant de recommencer à marcher. Pour faire en sorte que la famille parte plus vite, monsieur Leduc vida son pommier et empila toutes les pommes au pied de l'arbre.

À l'occasion, je me rendais donc à Montréal, à l'Université Mc Gill, pour passer des examens avec les chercheurs afin de tester de nouveaux produits et évaluer mes progrès. Même si, dans l'ensemble, c'était souffrant et épuisant, constater mes progrès et découvrir certaines innovations médicales rendaient l'expérience excitante et stimulante.

J'avais développé un autre exercice qui m'aidait beaucoup. Sur notre terrain partiellement défriché, à Sainte-Adèle, plusieurs arbres morts pouvaient tomber. C'était un danger réel. J'entrepris alors de les couper avec une scie manuelle. Une fois l'arbre couché, je l'ébranchais puis j'en coupais le tronc en longueurs de quatre pieds pour en faire des cordes de bois. Même si je ne possédais pas de foyer ni de poêle à bois, je rangeai les cordes sur le côté de la maison. Je trouvais que ça donnait un côté champêtre au terrain et j'offrais les bûches à ceux qui pouvaient difficilement s'acheter du bois de chauffage. Je coupai ainsi plus d'une cinquantaine d'arbres et en émondai plus d'une centaine. Cela contribua à nettoyer et à aérer le sous-bois pour le rendre plus sécuritaire. Mieux : moins de moustiques nous tournaient autour. Je disais souvent à la blague (même si je le pensais sérieusement), que ces moustiques étaient tellement gros et voraces qu'ils nous arrachaient des morceaux de peau pour les manger plus loin ou s'en faire des manteaux pour passer l'hiver.

Cette tâche colossale, effectuée en six années environ, fut évidemment ponctuée de quelques accidents. Un jour, je perdis pied sur une racine qui sortait de terre. Une autre fois, je tombai, m'incisant profondément le dessus de la main gauche sur la lame d'une sciotte. À un autre moment, un arbre pourri s'écroula sous la force du vent, au moment même où je passais devant. Les branches me fouettèrent de la tête aux pieds. J'aurais pu cesser de travailler, par crainte d'autres blessures, mais je préférais continuer. Cela me réussit : mon équilibre se développa, je renforçai mes jambes et, quand les cerfs venaient se promener près de chez moi, je les voyais beaucoup mieux.

Une à deux fois par hiver, Denise et moi nous rendions dans un centre de ski de fond. J'empruntais la piste pour débutant, et j'effectuais tout le parcours. J'en profitais pour calculer mon temps et observer ma méthode. L'année suivante, je comparais mes performances avec l'année précédente, et je m'en servais pour me motiver. Je dois dire que je passais souvent plus de temps à tomber qu'à skier. Encore une fois, j'optai pour l'humour, évitant de m'attarder aux aspects négatifs. Lorsque je me rendais compte, après une autre chute, que certaines personnes me regardaient d'un air songeur, je déclarais, gardant mon sérieux : « Je crois que ce n'était pas une bonne idée de boire une bouteille de vin avant de venir faire du ski. » Par la suite, en riant et sans leur dire que c'était une blague, je les laissais passer devant moi.

Toutes ces activités, tant à l'époque qu'aujourd'hui, furent toujours accompagnées de vives douleurs. Depuis mon accident, ces souffrances de tous mes os ne m'ont jamais donné un instant de répit. Je dors à peine de deux à six heures par nuit, sans compter les nuits blanches, moins fréquentes qu'au début, mais présentes à l'occasion. Il m'est encore difficile de demeurer assis longtemps sur une chaise si elle n'est pas rembourrée. Chaque fois que je me blesse, la douleur persiste plusieurs années. Je dois donc faire preuve de beaucoup de vigilance.

Un médecin de la clinique de la douleur m'expliqua le problème des gens qui souffrent de douleurs chroniques. Quand le corps humain fonctionne de façon normale et qu'il se blesse, le cerveau envoie un signal de douleur afin de le protéger. Au bout d'un moment, ce signal s'éteint pendant le processus de guérison.

Cependant, chez une personne qui souffre de douleurs chroniques, ce signal de douleur ne s'éteint parfois jamais, ou diminue très peu au fil des années.

CHAPITRE DIX-SEPT

Après le versement de ma rente de handicapé, je pris presque deux années de repos complet. Quand je récupérai enfin, je ressentis le besoin d'être utile. Je commençai alors à travailler comme bénévole à la Maison Emmanuel de Val-David, dans les Laurentides.

C'est un centre merveilleux pour toutes les personnes qui souffrent d'un handicap mental et parfois physique. La Maison Emmanuel fonctionne en partie grâce aux dons de généreux mécènes. Elle est située sur une ancienne terre, à un endroit où il ne passe presque jamais de voitures, ce qui rend l'endroit plus sécuritaire. De nouveaux bâtiments se sont ajoutés à la belle maison ancestrale. Sur le terrain, une grange héberge des chats, des vaches, des chevaux, des poules et autres bêtes servant à la zoothérapie auprès des résidents. Il y a également une école et des ateliers de peinture, de sculpture, d'artisanat, de menuiserie et plus encore. La vocation de ce centre est d'abord et avant tout basée sur l'amour, le respect et le partage. Ce centre constitue un véritable paradis pour tous les résidents et les gens qui y travaillent.

Une fois adultes, les jeunes résidents ayant terminé leurs études sont logés dans une maison au cœur du village de Val-David pour favoriser leur intégration sociale. Au début de mon bénévolat auprès des jeunes, je travaillais seulement quelques heures par jour. Je m'épris rapidement de mon travail auprès de ces enfants et j'en vins à travailler presque des journées entières.

J'arrivais tôt le matin. Je dressais la table avant que les enfants se lèvent, préparais le petit-déjeuner et le leur servais. Ensuite, je passais toute la journée avec les dirigeants du centre à faire des activités de toutes sortes avec les enfants et à préparer les autres repas de la journée, pour un groupe d'environ quinze personnes. Le soir venu, je ne retournais chez moi qu'après avoir couché les enfants.

Cette belle expérience enrichissante à tous points de vue dura neuf mois. Elle m'aida surtout à moins penser à ma condition de vie et à mieux l'accepter. Ces jeunes handicapés me témoignaient beaucoup d'amour et de respect. Tous étaient reconnaissants à l'égard du dévouement de tous les bénévoles. Des gens simplement remplis d'amour et débordants de générosité. À la Maison Emmanuel, les journées se passaient toujours dans une ambiance de calme, de sourires, de respect, d'amour et de petites attentions pour chacun des enfants. Pour ne citer qu'un exemple, nous agissions toujours selon le rythme du plus lent des pensionnaires. Je pris ainsi conscience qu'il était possible de travailler lentement tout en étant performant. Pensez à la roue d'engrenage du pédalier d'une bicyclette : la petite roue correspond à la première vitesse, la moyenne à la cinquième vitesse et la plus grande à la dixième. Imaginez-vous maintenant à la campagne, sur une route déserte, au cœur d'un paysage à couper le souffle. Vous partez d'un point précis et vous ajustez votre vélo à la dixième vitesse. Les premiers coups de pédale sont très difficiles à effectuer, les muscles de vos jambes se tendent au maximum juste pour faire avancer la bicyclette. Cela vous prend tellement d'énergie que vous ne pouvez admirer le paysage qu'après avoir parcouru quelques centaines de pieds. Lorsque vous atteignez enfin votre vitesse de croisière, vous commencez à admirer le paysage mais, peu de temps après, vous devez entreprendre l'ascension d'une longue pente. À peine au dixième de la pente, vous voilà déjà à bout de forces. Vous avez tant de peine à avancer, que vous devez monter cette côte à pied en traînant votre bicyclette. Une fois au sommet, vous êtes épuisé, vous n'avez pu admirer le paysage et vous avez besoin de repos.

Maintenant, revenez au point de départ, recommencez le même parcours, mais cette fois ajustez votre bicyclette à la première vitesse et observez la différence. Au départ, il est très facile d'avancer, vous en profitez pour admirer le magnifique paysage. Vous contournez facilement les trous et les bosses se trouvant sur votre route. Vous observez chaque détail de votre parcours sans en manquer un seul. Une fois au bas de la pente, vous commencez votre ascension sans aucune difficulté, tout en continuant d'admirer la nature autour de vous. Au sommet, comme il vous reste encore beaucoup d'énergie, vous n'avez pas besoin de vous arrêter pour vous reposer. Si vous arrêtez, ce sera pour vous retourner, regarder en bas de la pente et vous dire : « Eh bien, c'était juste ça, la pente (les difficultés) ! Il n'y avait rien d'insurmontable. »

Maintenant, revenez une dernière fois au point de départ. Cette fois, nous allons jouer avec les vitesses. Vous commencez en première, puis, après avoir parcouru une centaine de pieds, vous montez en cinquième puis en dixième. Tout au long du parcours, vous avancez avec facilité. Au pied de la pente, vous rétrogradez en cinquième avant de commencer votre ascension, puis en première pour terminer. Arrivé au sommet, vous êtes encore plein d'énergie et prêt à recommencer ou à passer à autre chose.

Comparons cette expérience avec le travail. Prenons, par exemple, le domaine de la construction. Imaginez que votre patron (ou votre client si vous êtes à votre compte) vous donne un contrat pour construire une maison. Vous voulez faire le plus vite possible pour sauver de l'argent, alors vous commencez en dixième vitesse, ce qui vous fait sauter des étapes cruciales au tout début par manque de concentration. Vous courez et vous travaillez très fort, mais tout est mal fait. Quand des problèmes surgissent, vous ne les avez pas vus venir. Quand le travail est terminé, vous vous rendez compte qu'il y a de multiples réparations à effectuer à cause des erreurs accumulées tout au long de la réalisation du projet. Après avoir travaillé dans le stress au point d'être maintenant épuisé, vous devez affronter la colère du client qui, très mécontent, vous accuse d'avoir bâclé le travail. Il exige même que vous corrigiez vos erreurs à vos frais. Bref, en plus de ne pas avoir sauvé de temps, vous êtes obligé d'investir de l'argent pour reprendre une partie du travail. Sans compter votre réputation qui va en prendre un coup.

Pourtant, si vous aviez commencé en première vitesse, en augmentant à l'occasion et en diminuant aux endroits stratégiques, vous n'auriez pas commis toutes ces erreurs de parcours. Vous auriez, en effet, eu tout le temps de vérifier chaque étape de la construction. Vous auriez ainsi progressé aussi vite que si vous aviez travaillé tout le temps en dixième vitesse. Vous n'auriez aucune réparation à effectuer, votre client serait satisfait et, surtout, il vous resterait encore beaucoup d'énergie pour accomplir autre chose. Quand je pense à tous ces gens qui ne jurent que par la dixième vitesse et demeurent convaincus d'avoir la bonne méthode de travail !

CHAPITRE DIX-HUIT

Malheureusement, au bout de presque dix années à Sainte-Adèle, nous avons dû, pour des raisons pécuniaires, nous résigner à vendre notre maison pour revenir à Montréal. C'était au milieu des années 1990, et nous payions moins de quatre cents dollars par mois, taxes et assurance comprises. Cette somme représentait moins qu'un loyer à la ville. Malgré tout, nous n'arrivions pas à manger trois repas par jour. C'est à peine croyable. Pourtant, il s'agit du quotidien de nombreuses familles ouvrières dans les Laurentides. Et dire que les gens croient que l'esclavage est aboli au Canada.

Heureusement pour nous, la famille de Denise comprit notre situation difficile. Je reste persuadé que c'était pour cette raison qu'ils s'invitaient à souper chez nous presque toutes les fins de semaine, prétextant que c'était l'endroit idéal pour les partys de famille. Ils arrivaient les bras chargés de victuailles et de boissons alcoolisées. Lorsque la soirée était terminée, ils retournaient chez eux en rapportant seulement les boissons alcoolisées, et en laissant toute la nourriture chez nous, ce qui nous permettait d'avoir quelque chose dans le frigo. Je serai toujours reconnaissant pour tout l'amour, le respect, la compréhension, le tact et tout ce que les membres de ma belle-famille ont fait pour nous durant cette période très difficile de cinq longues années, et pour ce qu'ils nous donnent encore. Ils m'ont énormément aidé à faire la paix avec moi-même et avec les gens. Je tiens, dans ce livre, à leur dire à quel point je les aime. Ils comptent profondément dans ma vie. Merci infiniment.

Après notre décision de quitter Sainte-Adèle, Denise trouva un travail au salaire minimum à Montréal. Cela représentait néanmoins une augmentation de revenu appréciable puisqu'elle travaillait toute l'année, quarante heures par semaine. Pendant la semaine, elle habitait chez sa sœur Terry, puis me rejoignait durant le weekend car nous n'avions pas encore vendu la maison. L'avenir nous faisait peur mais nous ne nous sommes jamais découragés.

Comme nous n'avions pas les moyens de payer un loyer à la ville en plus de celui de Sainte-Adèle, nous avons posé notre candidature pour tenir une conciergerie à Montréal. Nous étions décidés à remonter la pente sans jamais regarder la distance qui nous restait à parcourir. Cette nouvelle difficulté ne réussirait pas à nous atteindre.

Simultanément, je pris aussi la décision de réunir mes frères et sœurs pour leur parler. Je désirais me libérer de ce poids qui pesait sur mes épaules et mon cœur depuis trop longtemps. En effet, j'en étais venu à décider de bannir définitivement mes parents de ma vie. Cependant, la psychothérapeute que je consultais à ce moment-là me fit comprendre que ce que je souhaitais réellement, était de tenter de réunir ma famille dans l'harmonie plutôt que de m'en éloigner.

Je suivis ses conseils et je rencontrai donc mes frères et sœurs afin de régler certains différends qui s'étaient installés entre nous (surtout suscités par les mensonges de mon père). Nous avons pleuré puis ri. Nous nous sommes serrés dans nos bras en nous disant à quel point nous nous aimions. Quel cadeau magnifique ce fut pour moi ! C'était la première fois que, dans ma famille, on arrivait à se dire qu'on s'aimait en nous étreignant. Par la suite, nous sommes tous partis rencontrer nos parents, non pour leur faire des reproches ou régler des comptes, mais pour leur dire tout ce que l'on n'accepterait plus de leur part à compter de ce jour, en ajoutant que, quoi qu'il arrive, nous resterions solidaires. Quelle belle victoire personnelle ! Fort de cette libération, je revins la tête et le cœur libres à Montréal, prêt à me concentrer et à mettre toutes mes énergies dans notre nouvelle vie, et dans mon futur travail de concierge.

Notre installation dans cet endroit nous permit de rencontrer deux personnes merveilleuses au cœur débordant d'amour : les propriétaires de l'immeuble, Louise et Alain. Ils devinrent rapidement de bons amis. Ils nous aidèrent à reprendre le contrôle de notre vie et à retrouver plus de confiance en nous. Quelle compréhension, quelle générosité ! Ils nous incitèrent, une fois de plus, à ouvrir nos horizons et à rester à l'affût de tous les outils que la vie pourrait nous offrir. C'était vrai : la vie venait enfin de mettre sur notre route ces bons employeurs.

Du reste, notre maison de Sainte-Adèle n'arrivait pas à se vendre. Il fallut attendre deux ans. Pendant ce temps, nous l'utilisions les fins de semaine, comme un chalet. Alors, un autre malheur survint. Un jeudi après-midi, au début de l'hiver, des voleurs découpèrent la porte arrière à la tronçonneuse et vidèrent la maison de tout son contenu.

Avez-vous déjà entendu ce dicton : « Il n'arrive jamais rien pour rien » ? À la suite de cette épreuve, on rencontra un homme charmant, un expert d'assurance. Il parvint à gagner notre confiance au point qu'on lui raconta la série d'épreuves qui nous accablait. Voulant nous aider, il nous suggéra de suivre les cours de développement personnel de Sylva Bergeron, bien connus depuis 1959. Nous avons accepté, et ne l'avons jamais regretté. Nous avons eu également le privilège d'effectuer les trois phases dudit programme avec monsieur Gérald Lanthier, un homme extraordinaire au grand cœur, dont la mission consistait à guider les personnes vers un mieux-être.

Grâce à ce cours, je compris que j'étais rigide sur certaines choses et draconien sur plusieurs autres, ce qui me nuisait souvent. Par exemple, chaque fois que je rayais quelqu'un ou quelque chose de ma vie, je l'inscrivais pour toujours sur ce que j'appelais ma liste noire. Ainsi, je me privais de certaines joie et expériences d'apprentissage que la vie m'offrait.

Souvenez-vous : à neuf ans, je m'étais juré de ne jamais me marier et de ne pas avoir d'enfants. Dans la Phase I du cours de Sylva Bergeron, je pris conscience que cette décision me privait et privait également Denise de plusieurs grandes joies. C'est pourquoi, en mars 2000, après onze ans de vie commune, je demandai Denise en mariage. Le 1er septembre de la même année, nous nous sommes mariés. Ce fut une grande victoire pour moi et un grand bonheur pour nous deux !

Le jour des noces, nous avons reçu de très beaux cadeaux imprévus de la part de ma belle-famille. En plus de la grande réception, le lendemain, la famille avait en effet préparé une réception privée dans une suite du Château Vaudreuil « Hôtel 5 diamants ». Autre surprise : le soir venu, un souper grandiose y fut servi en notre honneur. Tous étaient tellement heureux pour nous. À la fin de la soirée, Denise et moi avons dormi dans la suite où avait eu lieu la réception et nous y avons pris le petit-déjeuner. C'était vraiment magnifique et généreux de leur part.

Le lendemain, une grande fête eut lieu avec tous les membres de nos familles et amis. La réception commença vers dix-huit heures et se poursuivit tard dans la nuit. Nous étions très émus, Denise et moi, lorsque le maître de cérémonie nous affirma que notre réception de mariage était l'une des cinq plus belles et des plus réussies auxquelles il avait assisté en vingt-cinq ans. Il faut dire que l'ambiance était chaleureuse et que tout se déroula dans la simplicité et l'harmonie. Tout au long de la soirée, nos deux familles et nos amis ne firent qu'un groupe et eurent beaucoup de plaisir, comme s'ils s'étaient toujours connus.

Le lendemain, ma sœur Claudette organisa une autre fête étant donné que mon frère Roger n'avait pu participer aux festivités de notre mariage. Il était invité depuis un an à un autre mariage, en Estrie, dans la famille de son épouse. Cela fait partie des inconvénients quand on décide de se marier à seulement quelques mois d'avis. Ainsi, notre réception de mariage dura trois jours !

Nous pouvons dire également que nous avons fait trois voyages de noces. Celui que nous avions prévu devait avoir lieu en décembre (une croisière dans les Caraïbes) mais, comme nous ne voulions pas attendre trois mois avant de partir, nous avons décidé de passer une semaine à l'île d'Orléans. À notre retour à la maison, un message de nos patrons et amis, Louise et Alain, nous attendait, nous demandant de les rappeler rapidement car c'était très important. Inquiets, nous avons immédiatement téléphoné. Avec joie, ils nous ont demandé de ne pas défaire nos valises : nous partions trois jours dans une auberge à Sainte-Émilie-de-l'Énergie ! Ils nous avaient réservé rien de moins que la suite nuptiale ! Un grand panneau près de la porte d'entrée annonçait : « Félicitations aux nouveaux mariés, Denise et Daniel ! » Dans la salle à manger, une table privée, dans une alcôve, fleurie et décorée, nous fut réservée avec service personnalisé pour la durée de notre séjour. Les repas furent gastronomiques et la chambre meublée avec goût. Sans oublier de belles attentions : les fleurs, le champagne et le chocolat. Ce fut un très beau cadeau inattendu de la part de nos amis et nous y avons été très sensibles. Ce souvenir précieux demeurera gravé dans nos cœurs.

CHAPITRE DIX-NEUF

En décembre 1999, une autre personne de valeur croisa notre route. Un homme généreux, intègre, qui me toucha par sa simplicité et son amour sincère pour les gens. Il s'agit de monsieur Réjean Léveillé, l'animateur de l'émission *Coup de Chapeau*, diffusée à TVA. Lucie Chabot (une grande amie de Denise et moi, et que je considère comme une seconde mère) lui demanda de m'inviter à son émission de télévision. Il s'agissait de rendre hommage à des gens qui, à la suite de situations difficiles, s'étaient démarqués, et de reconnaître tous leurs efforts pendant ces épreuves. Je fus très ému qu'une amie pense à moi dans cette perspective. L'émission fut diffusée en janvier 2000.

C'était à l'époque de mes cours avec Sylva Bergeron. Une élève de ce programme me vit à *Coup de Chapeau*. Elle me confia qu'elle trouvait le cours trop difficile, et qu'elle voulait abandonner mais, après avoir écouté mon témoignage à l'émission, elle décida de continuer jusqu'au bout. Ce commentaire m'alla droit au cœur.

Quelques mois plus tard, je recevais un appel du journaliste Philippe Jourdain de la revue *Dernière Heure*. Il souhaitait me rencontrer pour préparer une entrevue avec moi car, affirmait-il, mon histoire et mon témoignage à l'émission *Coup de Chapeau* l'avaient impressionné. Cette entrevue parut en mai 2000. Un bel article illustré de deux pages et dont j'étais le sujet… Je n'en revenais pas ! Peu après, monsieur Léveillé me rappelait pour m'inviter à participer à une émission spéciale regroupant les trois meilleures émissions de la saison précédente de *Coup de Chapeau*. La vie commençait enfin à me récompenser. Je perçus ces événements comme une main sur l'épaule dont on a besoin de temps en temps, un encouragement qui valorise tous les efforts qu'on investit dans une cause.

Deux ans plus tard, Denise et moi terminions la phase deux et trois du programme de Sylva Bergeron. Ce fut au cours de la phase deux que je pris conscience du message très important que je portais en moi et que je désirais partager. Je voulais aider le plus de gens possible et je le ferais par des conférences.

Au début, mon propos était basé sur l'**amour**, la **visualisation**, le **ressenti**, la **détermination**, la **persévérance**, la **confiance** et le **courage**. Je m'inspirais de mon expérience personnelle. J'insistais en particulier sur la façon dont j'avais agi et réagi après l'accident de plongée sous-marine et l'épreuve de la paralysie. Malgré les difficultés et la gravité de mon état, j'avais en effet gardé espoir et utilisé mes fameux outils pour arriver à me sortir du fauteuil roulant. J'affirmais que si j'avais pu atteindre mes buts, mes objectifs et mes rêves, les autres le pouvaient aussi.

Je prononçai ma toute première conférence devant un groupe de plus de cent personnes atteintes de la maladie pulmonaire obstructive chronique (MPOC). Devant la réaction positive du public et le succès obtenu, je compris que j'avais enfin trouvé ma voie dans la vie. Je savais maintenant que, plus jamais, je ne cesserais de donner des conférences afin d'aider mon prochain.

Je décidai ensuite de m'adresser aux jeunes pour leur parler des outils que j'avais utilisés pour arriver à surmonter mes épreuves. J'entrai d'abord en contact avec la directrice du CLSC de la municipalité de Vaudreuil-Dorion pour lui présenter mon projet. Cette dernière fut enchantée de cette initiative. Elle m'apprit que le Canada était un des pays parmi les plus touchés au monde par le suicide chez les jeunes, et que le Québec se classait au premier rang de ce triste record. De plus, la région la plus touchée était celle-là même où je demeurais : Vaudreuil-Soulanges. En apprenant cela, je fus très choqué. On ne parlait pas des problèmes des pays du tiers-monde ou de pays en guerre, ni même des épreuves de pays voisins, mais bien d'une réalité de chez nous.

Tout cela me poussa à prononcer des conférences et à écrire ce livre dans lequel je raconte tout depuis mon enfance malheureuse et difficile à mes idées suicidaires. De cette expérience, qui dura plus de vingt ans, je suis sorti grandi grâce aux « outils » que je mis en application. Cette situation à l'égard du suicide au Québec me toucha tellement que je me donnai comme mission de contribuer à réduire (et si possible à faire disparaître) cet atroce problème des jeunes au Québec. Dire que lorsque j'étais tout jeune, je croyais être le seul au monde à vivre cet enfer… Quelle naïveté de ma part…

Du reste, je me rendis vite compte que, pour faire avancer cette cause, il m'était impossible d'y arriver seul. Je commençai à sensibiliser les participants à mes conférences, en leur demandant, par exemple, de prêter une attention particulière à leur famille, à leurs amis, à leurs voisins, à tous, afin de multiplier mes efforts dans la réussite de cette mission.

C'est vrai : en devenant plus conscient des gens qui nous entourent, on participe au bien-être de tous. On dit que « l'union fait la force ». Je suis bien d'accord. Grâce à l'expérience et aux connaissances des autres, nous sommes maintenant plusieurs à pousser à la roue afin d'enrayer ce fléau.

J'adhérai ensuite à un organisme international, Toastmasters, qui existe depuis 1924. Je suis membre du club La Voix du Suroît de Vaudreuil-Soulanges (lavoixdusuroit.org). Je n'hésite pas à recommander cet organisme à tous ceux qui éprouvent de la difficulté à parler en public ou qui veulent se libérer de certains blocages causés par la timidité ou le manque de confiance en soi. Cet organisme, il faut le préciser, compte quelques millions de membres répartis dans plus de douze mille clubs de rencontre dans le monde. J'apprends encore, et cela m'aide à être de plus en plus à l'aise et mieux structuré lorsque je m'adresse à une audience. Aussi, je me suis fait beaucoup d'amis au sein de ce club.

Malgré toutes ces démarches entreprises pour m'aider à atteindre la sérénité, je demeurais quand même fragile. L'enfant en moi gardait toujours l'espoir caché de voir un jour ses parents changer. Ils me diraient : « On t'aime. » Il me semblait que si cela s'était produit, il m'aurait été extrêmement difficile de couper les ponts avec eux, comme je le souhaitais parfois, tant mes attentes demeuraient sans réponse.

En novembre 2008, je m'inscrivis à un autre cours de développement personnel chez Landmark. Je serai toujours reconnaissant à mon amie Nicole de me l'avoir recommandé. Grâce à ce cours, je parvins enfin à me libérer de l'emprise de mes parents. Et cela sans animosité, ni rage, ni haine et autres sentiments négatifs, mais avec toute la paix et l'amour qu'il me fut possible de leur envoyer. Dans tout mon cheminement, l'amour est le sentiment qui m'aura le plus appris. Je suis tout particulièrement arrivé à ressentir que mes parents étaient sûrement très malheureux car ils devaient, eux aussi, avoir manqué d'amour. Aussi, ils n'ont pas pu, ou su, comment en donner en retour à leurs enfants. Par amour pour moi, je compris que, puisqu'ils ne veulent pas changer et que je ne peux les changer, que je n'avais pas à demeurer malheureux à cause d'eux. Cela me conduisit à prendre cette décision sans appel : ne plus les revoir et cesser de nourrir toute attente les concernant.

Quelle libération physique et mentale cela m'a procuré ! J'eus l'impression d'avoir enfin posé un sac à dos rempli de pierres après l'avoir inutilement traîné pendant des années. Du coup, je dormis mieux. J'étais moins troublé dans mes pensées. Même les tensions et les douleurs dans mon corps diminuèrent. En février 2010, à l'âge de cinquante ans, je fus très surpris de m'entendre dire pour la première fois de ma vie : « Je suis heureux. » Désormais, j'avance librement dans la vie de tous les jours, et cela me demande beaucoup moins d'efforts et de souffrances.

Mon expérience m'aura montré que l'amour que j'éprouve pour les gens m'incite aujourd'hui à faire tout ce que je peux pour les aider. Je leur parle en particulier de ces merveilleux « outils » qui nous servent à évoluer et à devenir de plus en plus heureux, confiants et forts dans la vie.

C'est cette mission que je me suis donnée en écrivant ce livre et en donnant mes conférences.

ÉPILOGUE

J'ai écrit ce livre dans un but très précis : faire la preuve que, peu importe les épreuves que la vie met sur notre route, si on demeure confiant et que l'on décide d'y faire face sans jamais se décourager, nous pourrons les surmonter et les vaincre. Tout nous sera en effet possible dans la mesure où nous restons réalistes dans nos objectifs et que nous fournissons tous les efforts nécessaires. Il nous sera ainsi permis de nous dépasser au-delà de nos espérances.

Je souhaite de tout cœur que ceux qui parcourront ce livre en tirent des pensées d'amour, de compréhension et d'espoir. Mais encore : que mes mots puissent faire réfléchir tout particulièrement ceux qui sont malheureux, adolescents ou adultes, à cause d'une enfance difficile ou même brisée. D'amener la population entière à briser tous les tabous au sujet de la violence familiale et de toutes autres formes de violence. N'oublions jamais que la violence engendre la violence. C'est un cercle vicieux, très vicieux. Si nous décidons réellement de briser cet engrenage, rien ni personne ne pourra nous en empêcher. En construisant plutôt une chaîne d'amour, nous aurons le bonheur de voir notre vie et celle de notre entourage changer du tout au tout pour le mieux et, surtout, de voir apparaître l'amour partout dans notre vie.

Même si je n'ai dévoilé que la pointe de l'iceberg de mon existence, je suis persuadé que j'en ai dit suffisamment pour que beaucoup de gens se reconnaissent dans mon passé. Soyons prévoyants afin de ne pas tomber dans le piège : ne répétons pas avec nos enfants les mêmes erreurs que nos parents ont commises avec nous. Car les enfants risquent de perpétuer cette violence physique ou psychologique. Ne rendons pas nos enfants aussi malheureux que nous l'avons été en leur infligeant cette souffrance. Si les adultes prenaient conscience des répercussions désastreuses des sévices faits aux enfants, ils réfléchiraient deux fois avant de les blesser. Quel héritage désirons-nous léguer ? Tristesse ou joie ? Souffrance ou amour ? Crainte ou confiance ? Fermeture ou ouverture ? Haine ou amour ?

Tout au long de ce récit autobiographique, j'ai cité plusieurs pensées de mes lectures. En voici une que j'aime intégrer lors de mes conférences : « N'importe quel imbécile peut faire des enfants, mais seul un père aimant ou une mère aimante peut leur donner de l'amour, de la tendresse, du courage, de la confiance, de la détermination, de la persévérance et de la compassion. Une présence pour les encourager et les soutenir à travers les difficultés de la vie. » Comment voulez-vous être perçu de vos enfants ? Comme parent ou simple géniteur ?

Aimez donc vos enfants du même amour que Dieu vous porte. Cela vous évitera bien des soucis, bien des larmes et, surtout, de briser les rêves de petits êtres sans défense, de petites boules d'amour qui ne demandent rien d'autre que d'apprendre de vous et d'être aimés.

Avant de faire du mal ou de blesser profondément un enfant, souvenez-vous ces mots que pourrait dire n'importe quel enfant à un parent : « Quand je serai grand, je ferai comme toi. » J'ai lu cette phrase sur une affiche publicitaire à la cafétéria du centre de ski le Chanteclerc, à Sainte-Adèle. Cette phrase, selon moi, mériterait d'être publiée partout au monde pour faire réfléchir le plus de gens possible. Même si je l'ai lue il y a plus de quinze ans, elle m'a touché profondément et elle reste gravée dans ma mémoire.

Si vous avez eu la chance de vivre une enfance heureuse, soyez reconnaissants. Témoignez votre gratitude à vos parents avec des paroles d'amour pour tous les bienfaits qu'ils vous ont offerts tendrement avec leur cœur débordant d'amour pour vous. Dites-leur le plus souvent possible car c'est la plus belle récompense et la plus grande preuve d'amour que vous pouvez leur donner.

La vie m'a fait prendre conscience d'une vérité très importante : chaque jour où nous n'avons pas dit à ceux qui nous sont chers que nous les aimons est une journée perdue. Il faut tout faire pour ne pas vivre avec des regrets, puisqu'il nous est impossible de retourner dans le passé. Il est donc crucial de ne pas oublier cette vérité. Sans compter que nous ignorons si ceux que l'on aime seront encore là demain.

Apprenez à vous estimer et à vous aimer afin d'être en mesure d'aimer les autres et d'être aimé d'eux. Une fois que nous arrivons à nous aimer et à aimer les autres sincèrement, notre existence devient plus facile, agréable, et beaucoup plus simple à gérer. J'en suis la preuve vivante.

Quoi que vous entrepreniez, quelles que soient les difficultés, il est très important de ne jamais abandonner avant d'avoir atteint votre but. Ne vous arrêtez pas pour contempler l'ampleur du travail à accomplir. Qui sait ? Peut-être êtes-vous à deux pas de réussir ?

Pensez-y chaque fois que vous serez prêt à abandonner un projet, surtout si c'est un projet d'amour.

Souvenez-vous que la peur, le stress et le découragement, un peu comme des œillères, peuvent vous empêcher de découvrir les solutions qui s'offrent à vous et les gens disposés à vous aider lorsque vous êtes dans la tourmente. Il en fut ainsi pour moi. Après avoir perdu la santé, j'étais troublé, pauvre et profondément découragé. Mais j'avais encore le choix : baisser les bras ou **persévérer.** J'ai **décidé** d'affronter mes problèmes au lieu de leur tourner le dos et de fuir. Bien sûr, cela voulait dire combattre constamment les épreuves et les peurs que la vie mettait sur ma route.

« Ce que tu fuis te suit ; ce à quoi tu fais face s'efface. » Voici l'une des maximes entendues lors d'un cours. Ces mots m'ont encouragé et soutenu au pire de la tempête de mon existence. En gardant toujours le contrôle de sa propre vie, on arrive à décider que rien ni personne ne nous empêchera d'atteindre nos buts, nos objectifs et nos rêves. C'est ce que j'ai fait, et cela m'a réussi !

Aujourd'hui, je m'en félicite, car tout ce que j'ai vécu m'a fait évoluer et grandir. Aussi puis-je affirmer avec certitude que je suis très heureux. J'ai une épouse qui m'aime et que j'aime énormément; je suis entouré de mes deux familles (ma belle-famille et la mienne), ainsi que d'amis qui m'aiment pour ce que je suis. Je me sens vraiment choyé par la vie.

Quand j'y repense, je n'avais rien de plus spécial que les autres, si ce n'est une confiance absolue en moi, une forte détermination et la volonté de m'en sortir, d'être heureux et d'utiliser tous les outils en ma possession. Je les ai partagés avec vous avec sincérité et amour. S'ils m'ont permis de réussir à faire beaucoup, voire des miracles, je ne vois pas pourquoi ils ne fonctionneraient pas aussi pour vous. Le secret c'est de **décider**, à votre tour.

J'aimerais transmettre un dernier message d'espoir à l'intention des survivants d'une enfance douloureuse. Le simple fait de coucher mes souvenirs sur le papier m'a en effet libéré d'un poids immense, même si, au début de cette entreprise, j'étais déchiré au point de devoir très souvent cesser d'écrire tant je tremblais. J'avais mal partout, jusque dans mes tripes et mon âme. J'avais des points au cœur. Il m'arrivait de pleurer et de sentir la colère se réveiller et monter en moi. Cette douleur m'a peut-être ralenti, mais elle ne m'a jamais arrêté car, au fur et à mesure que j'avançais, je me libérais. Il a fallu plus d'un an d'écriture avant que je me rende compte que j'étais en train de guérir. Aujourd'hui, je me sens libre au plus profond de mon être ! J'ai l'impression que les portes s'ouvrent toutes grandes devant moi. Il s'agit de cesser de se battre contre elles pour plutôt les entrebâiller une à la fois.

Pour toutes ces raisons, je vous suggère fortement de mettre sur papier toute votre vie passée, surtout les épisodes les plus difficiles, aussi cauchemardesques soient-ils. Mais ne le faites surtout pas dans un but de vengeance, cela ne vous apporterait rien de bon. Voyez plutôt cela comme une thérapie personnelle, que vous publiiez votre texte, ou le détruisiez après l'avoir terminé. Je suis persuadé que vous y trouverez tout de même de grands bienfaits qui vous délivreront d'une grande souffrance intérieure. L'écriture est un merveilleux moyen de se libérer de grandes douleurs, et d'envisager la vie avec plus d'amour et de sérénité.

En terminant, je vous souhaite de connaître la paix intérieure, pour que l'amour puisse se répandre autour de vous et en vous. De cette façon, vous deviendrez des collaborateurs associés pour m'aider à réaliser notre plus grand rêve commun : nous retrouver tous ensemble dans cette grande chaîne d'amour sans fin.

Bon succès et soyez heureux dans tout ce que vous **déciderez** d'accomplir.

Je vous aime de tout mon cœur.

Voici la liste des outils que j'ai utilisés à laquelle j'ajoute quelques commentaires.

L'amour : Le plus grand, le plus puissant et le plus important de tous les outils que je connaisse. Il est rempli de richesses spirituelles, de santé physique et mentale, familiale, d'amitié, de travail et bien plus encore. Sans l'amour, tous les outils du monde ne pourraient jamais accomplir leur fonction complètement et il n'y aurait pas de miracles. Puisque l'amour est l'outil qui va vous permettre de vous approcher le plus près de Dieu, utilisez-le le plus souvent possible. N'oubliez jamais que l'amour est l'outil fondamental à posséder avant n'importe quel autre.

La confiance en soi : L'outil le plus important que vous puissiez posséder après l'amour. Sans la confiance en soi, il est très difficile, même presque impossible, de terminer quoi que ce soit que l'on a décidé d'entreprendre, même si ça nous tient à cœur. Pour avoir une plus grande confiance en soi, il faut d'abord et avant tout s'aimer, se respecter, s'estimer et se valoriser.

La visualisation : Si vous ne pouvez visualiser vos rêves, vous ne pourrez jamais les réaliser. Imaginez ce que vous désirez avant de commencer quoi que ce soit, car la visualisation est comparable à un plan bien fait et la pierre angulaire des fondations de votre maison.

Le ressenti : En plus de visualiser vos buts, vos objectifs et vos rêves, il vous faudra les ressentir. Vous devrez leur donner vie dans votre tête et votre cœur : les sentir, les toucher et les goûter. Avec le ressenti, les chances de réussite dans tout ce que vous voulez entreprendre se multiplient. Gardez en mémoire que le ressenti est indissociable de la visualisation.

La détermination : Cet outil précieux permet de se fixer des buts réalistes, de prendre les moyens pour y parvenir et de respecter son plan d'action. Sans la détermination, on ne se sent jamais prêt à commencer quoi que ce soit. C'est l'outil parfait pour construire la base de tous les projets importants de notre vie – l'élan de votre projet.

La persévérance : Une fois que vous êtes déterminé, il vous faut persévérer. La persévérance est l'outil qui vous demandera de la constance et de la ténacité quotidiennement. Faire faux bond à cet outil vous éloigne de votre réussite, car c'est la clé pour mener tous vos projets à terme. Sans persévérance, on ne peut jamais rien terminer.

PERLES À RETENIR

Mes cours, mes lectures et mes conversations avec diverses personnes rencontrées tout au long de ma vie m'ont souvent inspiré. Voici quelques perles.

L'analyse paralyse.

Ce que tu fuis te suit, ce que à quoi tu fais face s'efface.

Passer pour un idiot aux yeux d'un imbécile est une volupté de fin gourmet.

Les seules personnes qui ne font pas d'erreur sont celles qui ne font rien, mais leur vie est une grande erreur.

Confucius a dit : « Notre plus grande gloire n'est pas de ne pas tomber, mais de nous relever chaque fois. »

Voltaire a dit : « L'oreille est le chemin du cœur. »

Tomber c'est humain. Rester par terre c'est idiot. Se relever c'est divin.

Mon ami John Marchiori disait : « La seule question stupide qui existe au monde, c'est la question que nous n'avons pas osé poser. »

L'intuition nous permet de savoir ce que nous devons savoir, quand nous devons le savoir.

Vous pouvez choisir de transformer le monde ou de transformer votre vision du monde.

L'intuition nous permet de profiter des données issues de notre énergie pour prendre les bonnes décisions au bon moment.

Si vous abandonnez avant d'avoir atteint votre but, vous ne saurez jamais à quel point vous étiez près de l'atteindre.

Même si nous vivions cent ans, nous ne sommes pas sur la terre pour longtemps. Nous sommes sur la terre pour du bon temps, alors il faut savoir en profiter le temps que l'on est en vie, parce qu'une fois mort, on est mort longtemps.

Le succès est doux, mais il a d'ordinaire une odeur de sueur.

André Rochette a dit : « La simplicité est le secret de la réussite. »

Mary Kay Ash a dit : « Si vous pensez que vous pouvez, vous pouvez, et si vous pensez que vous ne pouvez pas, vous avez raison. »

Hervé Desbois a dit : « Si vous vous sentez incapable de faire quelque chose, c'est peut-être parce que vous en avez décidé ainsi. »

Hervé Desbois a dit : « Ne dites pas : «C'est trop beau pour être vrai.» Vous avez le droit de réussir. »

Hervé Desbois a dit : « Tracez-vous une voie et persévérez, quels que soient les obstacles. »

Hervé Desbois a dit : « Réussir requiert une certaine dose d'insouciance. »

Hervé Desbois a dit : « À force de trop regarder les problèmes, on ne voit plus les solutions. »

James A. Worsham a dit : « Avoir le courage d'entreprendre quelque chose est l'un des principaux facteurs du succès. »

Shakti Gawan a dit : « Ce que l'on crée en soi se reflète toujours à l'extérieur de soi. C'est la loi de l'univers. »

Bernanos a dit : « On ne subit pas l'avenir, on le fait. »

Sénèque a dit : « Ce n'est pas parce que les choses sont difficiles que nous n'osons pas. C'est parce que nous n'osons pas qu'elles sont difficiles. »

François Garagnon a dit : « Ne te lamente pas sur tes échecs. Il se pourrait bien que ce soit en eux que tu puises les ressources pour réussir. »

François Garagnon a dit : « Le premier secret de l'efficacité consiste à entretenir une franche répulsion pour l'inachevé. »

Paramahansa Yogananda a dit : « Une période d'échec est un moment rêvé pour semer les graines du succès. »

Gustave Flaubert a dit : « Le succès est une conséquence et non un but. »

David Baird a dit : « L'échec est une grande occasion de recommencer d'une façon plus intelligente. »

David Baird a dit : « Quand vous êtes confronté à une tâche difficile, dites-vous que d'autres sont passés par là avant vous. »

Judy Ford a dit : « Quand on s'aime et qu'on s'accepte tel qu'on est, on n'a pas peur de grandir, d'apprendre et de changer. »

Jean Rostand a dit : « Le succès en impose à ceux-là mêmes qui le fuient. »

Truman Capote a dit : « L'échec est l'épice qui donne sa saveur au succès. »

Arthur Ashe a dit : « Une des clés du succès est la confiance en soi. Une des clés de la confiance en soi est la préparation. »

Jack E. Addington a dit : « N'acceptez jamais la défaite, vous êtes peut-être à un pas de la réussite. »

Jésus Christ a dit : « Si tu fais germer ce qui est en toi, ce qui est en toi assurera ton salut. Si tu ne fais pas germer ce qui est en toi, ce qui ne germera pas te détruira. »

Proverbe anglais : « Le paresseux appelle chance le succès du travailleur. »

REMERCIEMENTS

Je tiens tout particulièrement à remercier Denise, l'amour de ma vie. Sans elle, ce livre n'aurait jamais vu le jour, et je n'en serais pas là aujourd'hui. Son amour, sa confiance en moi, ses bons conseils et son soutien inconditionnel et permanent m'ont permis d'avoir le courage de continuer à me dépasser. Quand on dit qu'il y a toujours une grande femme derrière un grand homme. C'est vrai. En ce qui me concerne, c'est Denise Dumas. Je t'aime très fort mon bel amour.

Je ne peux passer sous silence l'aide précieuse de plusieurs amis et amies qui ont participé à l'élaboration de cet ouvrage. Par ordre alphabétique Sylvain Bergeron, Jean-Pierre Carrière, Lucie Chabot, Denise Dumas, Terry Dumas, Stéphan Ferland, Nicole Germain, Yvan Gingras, Élaine Levert, Noëllise Turgeon et Ray Vincent, de même que M T D pour la révision finale de ce texte. Je ne vous remercierai jamais assez pour votre générosité et votre foi en ce livre.

Cet ouvrage, composé en Adobe Garamond Pro et AG Buch
a été achevé d'imprimer au Canada
par Cible-Action
en août deux mille douze